Gary L. Blackwood

Verdwaald

♕ ♕ ♕

Voor Gareth, die altijd van de wildernis heeft gehouden

ISBN 90 5836 011 3
Oorspronkelijke titel: 'Wild Timothy'
Verschenen bij: Atheneum, New York
© Tekst: Gary L. Blackwood mcmlxxxix
© Omslagillustratie: Irene Goede mcmxcix
Copyright van deze uitgave: kroontjes boeken, Amsterdam mcmxcix
Verspreiding in België: C. de Vries-Brouwers bvba, Antwerpen

Hoofdstuk 1

Het rode nylon van de tent was in de duisternis bijna zwart en het leek wel of het langzaam naar beneden kwam. Jasper stak voor de derde of vierde keer een arm uit zijn slaapzak en voelde of de tent nog strak gespannen was en zich op de goede plaats bevond, ruim een halve meter boven zijn hoofd. Het doek was klam geworden door de vochtige adem van hemzelf en zijn vader. Jasper had het benauwd, alsof hij almaar dezelfde lucht inademde. Hij wrong zich half uit zijn slaapzak, lichtte een punt van de tent op en haalde diep adem. De koude lucht rook naar dennennaalden en half vergane bladeren. Hij kreeg het al snel koud en kroop weer in zijn mummie-slaapzak. Hij verlangde naar zijn pyjama, maar zijn vader had het niet goed gevonden dat hij die meenam.

De tent werkte als een soort broeikas, die alle frisse lucht tegenhield. Maar om de een of andere reden sloot hij de wildernis niet buiten. Zelfs de zwakste geluiden drongen tot Jasper door. Het leek of elke kreet van een uil of schreeuw van een lynx versterkt werd, doordat het tentdoek meetrilde. Jasper voelde nog eens aan het nylon dak boven zijn hoofd. Daarna draaide hij zich om, deed zijn ogen dicht en wachtte tot hij in slaap viel. Net toen hij min of meer gewend was aan de geluiden van het bos en al half sliep, hoorde hij opeens een nieuw geluid, dat klonk als een soort blazend gegrom van een beer. Jasper sperde zijn ogen open en lag doodstil en gespannen te luisteren, of het geluid zich zou herhalen. Of zouden de dunne wanden van de tent plotseling bezwijken onder een reusachtige klauw? Was dit het eind van zijn leven? Zou hij op zijn dertiende door een beer worden gedood?

De boswachter met wie ze hadden gepraat, had gezegd dat er in sommige streken nog beren waren en dat ze hun voedselvoorraad daarom minstens drie meter van de grond aan een boomtak moesten hangen. Jasper vroeg zich af hoe groot de beren dan waren, als tweeënhalve meter niet hoog genoeg was om ervoor te zorgen dat ze er niet bij konden.

Niet ver van de tent kraakte een tak. Jasper hield zijn adem in en luisterde. Daar was het grommende geluid weer, vlak bij zijn oor. Hij ademde met een diepe zucht uit, omdat hij eindelijk begreep dat het zijn vader was, die snurkte. Opgelucht, maar ook een beetje geërgerd draaide Jasper zich op zijn rug. En nadat hij de slaapzak, die natuurlijk met hem meegedraaid was, had rechtgetrokken, ging hij naar het dak van de tent liggen kijken en wachtte tot het doek door het eerste daglicht weer rood werd. Hij wilde dat hij naar de vertrouwde barsten en vlekken op het plafond van zijn slaapkamer keek.

Dat plafond was voor hem een aparte wereld, niet minder echt en een stuk prettiger dan de gewone wereld waarin hij sliep, at, boeken las en naar school ging. Eigenlijk was het een kaart van een andere wereld. De grote, bruine vochtplek was een reusachtig eiland, een geheimzinnig werelddeel, en de barsten in de kalk waren grote rivieren. In het grensgebied langs een muur was een plek zonder behang. Dat was een meer, dat omgeven werd door donkere bossen, die als je er op een andere manier naar keek, eenvoudig het patroon van het behang waren.

Maar op de landkaart was niet te zien of er op het grote eiland mensen woonden, die op open plekken in de bossen leefden en de rivieren bevoeren. Jasper dacht van wel, maar hij had het gevoel dat het heel andere mensen waren dan in zijn eigen wereld. Waarschijnlijk waren het eenvoudige, zorgeloze mensen, die hun eten uit de bomen plukten en elkaar verhalen vertelden. Maar op zo'n landkaart kon je eigenlijk niet veel zien. Het Adirondackgebergte was op de wegenkaart van de staat New York ook niet meer dan een groene vlek.

Toen zijn vader had voorgesteld om met zijn tweeën in de bergen te gaan kamperen, hadden Jasper en zijn moeder eerst niet erg enthousiast gereageerd. Maar toen zei zijn moeder, terwijl ze naar de kaart wees: „Nou ja, er zijn daar toch ook steden en zo. Je zit niet midden in de wildernis."

„Steden?" zei Jasper spottend. „Ja hoor, en om de honderd meter een supermarkt."

Zijn vader volgde onverstoorbaar met zijn vinger de rode lijnen van de wegen om de beste route te vinden. „We gaan niet om te winkelen, maar om te kamperen en in de natuur te zijn."

Zijn moeder zuchtte. „Ik weet het niet, Dick. Zou het daar in augustus 's nachts niet koud zijn? Hoe blijven jullie dan warm? Je weet dat Jasper snel ziek wordt. Dat is altijd zo geweest."

„We blijven warm door hout te kappen en een kampvuur te stoken. Dat is goed voor hem. Daar wordt hij sterk van."

Hij gaf Jasper een speelse stomp tegen zijn arm.

„Au," zei Jasper.

Hij voelde weer iets tegen zijn arm en ging geschrokken rechtop zitten in zijn mummieslaapzak. Dat was vast de beer. Tot zijn verbazing zag hij dat de tent gevuld was met helderrood licht. Zijn vader hield de voorkant van de tent open en grijnsde naar hem. „Schrok je?" vroeg hij.

„Hoe laat is het?" mompelde Jasper.

„Tijd om op te staan. Als je vissen wilt vangen, moet je er vroeg bij zijn."

„En als ik dat niet wil?"

Zijn vader haalde zijn schouders op. „Dan heb je niets te eten."

„Bedoel je dat we met vis gaan ontbijten?"

„Ja. Als je een uur of twee bezig bent, krijg je er vanzelf zin in." Zijn vader trok zijn lieslaarzen aan en liep met grote passen weg om zijn hengel klaar te maken.

„Ontbijten met vis," mopperde Jasper nog eens. Daarna groef hij tussen zijn kleren, tot hij zijn bril te pakken kreeg, zette hem op en keek op zijn horloge. „Zes uur! Leuk hoor." Hoe stelde zijn vader zich eigenlijk voor dat hij 'sterk kon worden', als hij niet eens genoeg slaap kreeg? Hij dacht erover om weer in zijn slaapzak te kruipen, maar hij wist dat zijn vader dan toch zou terugkomen om hem eruit te halen, en deze keer met veel geschreeuw. Het was waarschijnlijk de moeite niet waard. Bovendien had hij zijn moeder beloofd geen ruzie te maken. „Hij doet zijn best," had ze gezegd. „Daarom moet jij dat ook doen."

„Kan hij geen andere manier bedenken om zijn best te doen?" had Jasper gevraagd. „Waarom probeert hij niet eens om af en toe thuis te zijn?"

Daarop had zijn moeder niet gereageerd. Maar hij wist zelf het antwoord, want het was niet de eerste keer dat ze het erover hadden. Het kwam door het werk van zijn vader. Als je een aannemersbedrijf hebt, moet je overal achteraan zitten, want anders krijgt iemand anders de opdrachten.

Hard werken, opschieten, stoer doen. Jasper zuchtte, schopte de slaapzak van zich af en begon zich aan te kleden. Hij probeerde dezelfde stoere, mannelijke gebaren te maken als zijn vader. Dat viel niet mee in de nauwe ruimte van de tent, maar als hij het buiten deed, zou hij allemaal bladeren en vuil op zich krijgen. Ten slotte wrong hij zijn voeten in zijn nieuwe bergschoenen en verliet de tent, als een vlinder die uit zijn cocon kruipt. Hij was maar net op tijd, want zijn vader kwam er al aan om hem te halen.

6

Zijn vader had er met zijn logge lieslaarzen, oude jack en slappe hoed met kunstvliegen in de band eigenlijk belachelijk uit moeten zien, maar dat was niet zo. Het leek wel of hij net van de omslag van een catalogus voor hengelsportartikelen was gestapt. Sommige mensen zien er nu eenmaal altijd uit alsof ze in een reclamespot leven. Zijn broer Kevin had dat ook. Alleen hoorde zijn vader thuis in een reclame voor bier, of voor spijkerbroeken, en Kevin eerder in een reclame voor frisdrank. Hij zag er altijd keurig uit, keek voortdurend vrolijk en scheen nog nooit gehoord te hebben van roos, slechte adem of puistjes. Het enige reclamespotje waarin Jasper eventueel had kunnen meespelen, was dat voor videospelletjes, waarin alle kinderen nogal dik en bleek zijn. Niet dat hij zo dik was, maar hij was wel wat aan de pafferige kant. Hij kreeg nu eenmaal minder beweging dan die lui in reclamespotjes, die in bergmeren doken, voetbalden en achter meisjes aan moesten rennen die hun cowboyhoed hadden afgepakt.

Kevin zat op voetbal en speelde zelfs al in het eerste elftal. Hij zou waarschijnlijk net zo goed zijn geweest in handbal of atletiek, maar die sporten leken nu eenmaal minder op een reclamespot.

„Waar is je hengel?" vroeg zijn vader, terwijl hij zijn verfomfaaide zoon bekeek.

„In de auto, denk ik," antwoordde Jasper.

„Ga hem dan halen. Schiet op, het is al laat om te gaan vissen."

'Laat?' zei Jasper tegen zichzelf, terwijl hij op een drafje naar de jeep liep. Als het nog vroeger was, zouden de vissen het aas niet eens kunnen zien. Toen hij bij de jeep kwam, bedacht hij dat hij de sleutels nodig had om de achterklep open te maken. Dus liep hij weer op een drafje terug naar zijn vader, die ongeduldig met zijn werphengel tegen zijn been stond te tikken. „Wat is er nu weer?"

„Ik heb de sleutels nodig," zei Jasper. Zijn vader gaf ze, en Jasper liep met de sleutels in zijn hand terug naar de jeep. Toen hij de achterklep opendeed en zijn hengel van achter het reservewiel pakte, zag hij dat er een flink stuk van de top was afgebroken, waarschijnlijk door het dichtslaan van de deur. Het afgebroken stuk bungelde aan het eind van de lijn.

„Verdomme," kreunde Jasper. Hij duwde het afgebroken deel op het eind van de hengel, maar het viel er meteen weer af.

Toen hij wegliep van de jeep, merkte hij dat zijn vader stond te gebaren en te roepen, maar hij was al bijna halverwege voor hij hem verstond. „De deur! Doe de deur op slot! En neem de sleutels mee!" Jasper zuchtte en liep terug. Dit werd een geweldige dag.

Zijn vader sneed met een berustend gezicht Jaspers hengel af tot aan het tweede oog en daarna liepen ze ongeveer anderhalve kilometer door dauwnat gras naar de rivier. Eigenlijk hadden ze bij het Elandsmeer willen gaan kamperen. Daar was Jaspers vader lang geleden met zijn eigen vader, Jaspers grootvader, naartoe geweest om te vissen. Maar er was veel veranderd sinds die tijd. Door de zure regen zat er niet veel vis meer in het Elandsmeer en in de meeste andere meren. Daarom waren ze maar naar de Onafhankelijkheidsrivier gegaan.

Maar ook al leefden er in de rivier misschien nog vissen, vandaag lieten ze zich niet zien. Zijn vader waadde door de rivier en probeerde over een lengte van honderd meter op elke vierkante centimeter alle soorten kunstvliegen uit zijn arsenaal. Na twee uur, waarbij Jasper intussen met zijn natte bergschoenen op de oever stond te rillen en met zijn afgebroken hengel een eenvoudig kunstaas door het water trok, gaf hij het op. „Zie je wel," gromde hij. „We hadden vroeger moeten beginnen."

Terug in het kamp probeerden ze met vochtige takken een vuurtje te maken, maar het lukte niet. Daarom staken ze de benzinebrander aan en bakten boterhammen met vlees uit blik. Ze bespraken hoe vroeg ze de volgende dag zouden opstaan.

Daarna hadden ze elkaar niets meer te zeggen. Zo ging het altijd. Ook tijdens de paar uur dat zijn vader per dag thuis was, praatte hij vooral met Jaspers moeder over geld, of met Kevin over honkbal of voetbal. Jasper had een tijdje geprobeerd de wedstrijden op de televisie te volgen, maar toen hij voor het eerst iets zei over de goede verdediging van een honkbalploeg, lachten ze hem uit. Daarom had hij het opgegeven en was 'Schateiland' gaan lezen van Robert Louis Stevenson. Hij verheugde zich erop dat zijn vader of Kevin zich zou vergissen en zou zeggen: „Schateiland? Dat is toch van Daniël Defoe?" Wat zou hij dan lachen.

Maar dat zeiden ze natuurlijk niet, en als ze dat wel hadden gedaan, zouden ze zich nog niet opgelaten hebben gevoeld. Ze zouden de rollen op de een of andere manier omgedraaid hebben, zodat Jasper het gevoel kreeg dat het onnozel was om je druk te maken over de vraag wie wat geschreven heeft.

Terwijl hij zwetend op een boomstronk zat en af en toe een mug probeerde dood te slaan, keek Jasper hoe zijn vader nieuwe kunstvliegen maakte die nog onweerstaanbaarder moesten worden voor de vissen. Hij verlangde naar koude limonade en een spannend boek, maar zijn vader vond ijs en boeken overbodige luxe en had domweg geweigerd om zulke dingen mee te nemen. Jasper vroeg zich af of zijn vader zelf een hele week kon doorkomen zonder koud bier. Maar hij moest toegeven dat je door zo'n primitieve vakantie meer waardering kreeg voor allerlei kleine dingen die je anders heel vanzelfsprekend vond.

Aan het begin van de middag begon Jasper zich zo stierlijk te vervelen dat hij bij gebrek aan beter een paar wormen opgroef en naar de rivier ging om te vissen. Toen hij na tien minuten nog niets had gevangen, legde hij zijn hengel in het gras en leunde achterover tegen een jong boompje. Hij begon net heerlijk weg te dromen, toen de punt van de afgebroken hengel omlaag werd getrokken. Hij wierp zich met een sprong op de hengel, begon als een razende aan het wieltje te draaien en haalde een kleine, maar flink spartelende zonnebaars op. Nadat hij de vis van de haak had gehaald, wist hij niet goed wat hij ermee moest doen. Ten slotte legde hij hem voorzichtig in de schaduw en deed een nieuwe worm aan de haak. Hij kreeg meteen weer beet en haalde net zo'n vis op als de eerste. Daarna ving hij er binnen een halfuur nog vier. Trots en verbaasd droeg hij zijn vangst voorzichtig in zijn armen naar het kamp. Hij was vergeten een net mee te nemen. Toen hij bij de open plek kwam, riep hij, met een onzekere glimlach op zijn gezicht: „Papa, kijk eens! Ik heb het avondeten gevangen!"

„Wat?" zei zijn vader bozig, terwijl hij opkeek van de kunstvlieg waarmee hij bezig was. „Heb je iets gevangen?" Jasper bukte om hem de vissen te laten zien. „O, zonnebaarzen," zei zijn vader, en hij ging weer verder met zijn vlieg. „Die zijn niet de moeite waard om schoon te maken."

„O, dan zal ik het wel doen, als je me even laat zien hoe het moet."

„Ik zei toch dat het niet de moeite waard is. Je had ze terug moeten gooien in het water."

„Het is toch beter dan niets?"

„Morgen vangen we gele baarzen. Dat zijn pas vissen."

Jasper keek naar de dode zonnebaarzen in zijn armen. „Wat moet ik er dan mee doen?"

„Gooi ze maar ergens in de struiken. Maar wel een eind verderop, zodat ze geen wilde dieren aantrekken." Hij keek op naar Jasper. „En was die bloes. Anders gaat hij stinken."

Nadat Jasper de vissen had weggegooid en zijn bloes had gewassen, liep hij een tijdje doelloos rond. Ten slotte kwam hij uit op het overwoekerde houthakkerspad waarlangs ze hierheen gekomen waren. Hij slenterde naar de jeep en ging op de plaats naast die van de bestuurder zitten. De jeep leek op een kleine, door de mens gemaakte oase, die schoon, comfortabel en beschut was. Thuis ging hij ook weleens in de jeep of de stationcar zitten. Dan bladerde hij door de wegenatlas en deed alsof hij op weg was naar een plaats waar het prettiger was, zoals Californië of Florida. Zijn reisdoel lag bijna altijd aan zee, maar niet al te ver weg. Hij dacht aan brede witte stranden, met sinaasappel- en bananenbomen waarvan je zonder moeite de vruchten kon plukken. Maar ditmaal pakte hij de wegenatlas niet uit het handschoenenkastje. Hij deed alsof de jeep thuis op de oprit stond, zodat hij met een paar stappen binnen kon zijn om iets te drinken en 'De man met het ijzeren masker' te gaan lezen. Zelfs met zijn ogen dicht viel het niet mee om dat te geloven, want in plaats van het vertrouwde geblaf van de hond van de buren hoorde hij de wind door de struiken en af en toe een schelle kreet van een vogel uit de richting van de rivier.

Na een tijdje begon het hem te vervelen. Hij stak zijn hand uit naar de contactsleutel en draaide hem half om, zodat hij de radio kon aanzetten. Maar hij moest lang zoeken voordat hij een zender vond. Ten slotte ving hij toch flarden op van een bekend liedje, maar hoewel hij de muziek door de storingen heen vrij goed kon horen, verstond hij niets van de tekst. Toen het liedje was afgelopen, klonk de opgewonden stem van een diskjockey: „Ici Radio-Canada, CBF, Montréal." Geen wonder dat hij het niet kon verstaan. Het was Frans. Op school had hij wel een jaar les gehad in die taal, maar hij had er nooit een voldoende voor gehaald. Dat kwam niet doordat hij dom was. Het interesseerde hem alleen niet erg hoe je in het Frans dingen kon zeggen als 'Ik heb kiespijn', 'Het regent' of 'Waar is het station?' Er werden normaal al genoeg saaie en overbodige opmerkingen gemaakt. Dat hoefde je niet ook nog in het Frans te kunnen, vond hij. Hij zuchtte en zei de enige Franse vloek die hij kende: „Merde." Daarna draaide hij weer aan de knop,

11

op zoek naar een andere zender. Hij dacht dat hij een paar woorden opving, en draaide de knop voorzichtig heen en weer. Maar toen hij de stem voor de tweede maal hoorde, drong het tot hem door dat het geluid van buiten de auto kwam. Hij zette de radio zachter en luisterde.

„Jasper!" klonk het uit de richting van de tent. „Hé! Jaaasper!"

Jasper deed de deur van de jeep open en riep: „Jaaa. Wat is er?"

„Kom hier!"

„Wat is er nu weer?" mompelde Jasper tegen zichzelf. Hij stapte uit, gooide de deur dicht en liep de heuvel op naar de tent. Zijn vader had zes manshoge palen rechtop in de zanderige bodem geslagen en er stokken overheen gelegd. Nu probeerde hij een groot plastic zeil over dit bouwsel te spannen.

„Wat ben je aan het doen?" vroeg Jasper.

„Pak vast," zei zijn vader kortaf. Jasper greep een hoek van het zeil. „Nee, daar niet! In het midden!" Jasper verplaatste zijn hand een eindje. „In het midden! En met twee handen!" De wind kreeg vat op het zeil en trok het uit Jaspers handen.

„Vastpakken, zei ik. Pak nou toch vast!" Ten slotte deed zijn vader het maar alleen. Hij bond een hoek vast, liep naar de andere kant, waarbij hij Jasper opzij duwde, en maakte de hoek ertegenover vast, en daarna ook de andere hoeken.

„Zo," zei hij een beetje vriendelijker. „Nu nog een paar houtblokken als tafel en stoelen, en dan hebben we een prachtig restaurant."

„Dat is toch niet nodig voor die paar dagen?" zei Jasper.

„Een paar dagen? We blijven hier meer dan een week, jochie."

„O," zei Jasper verbaasd. „Ik dacht…"

„Wat?"

„Nou ja, ik dacht gewoon dat we ook nog wel wat anders zouden gaan doen."

„Wat dan?"

12

„Ik weet het niet. Rondrijden. In een motel slapen. Naar de film gaan, of zo."

„Dat kun je thuis ook." Zijn vader sloeg Jasper op zijn schouder. „Kom, dan gaan we brandhout zoeken voor het avondeten."

Hoofdstuk 2

Die nacht sliep Jasper weer niet erg goed. Nu kwam het niet door de geluiden van dieren of het gesnurk van zijn vader, maar doordat zijn luchtbed in het holst van de nacht leegliep. De rest van de tijd tot zonsopgang besteedde hij aan het zoeken van een makkelijke houding, die hij natuurlijk niet vond. Het duurde trouwens niet helemaal tot zonsopgang, want om halfzes werden ze gewekt door het horloge van zijn vader. Jasper moest opstaan en ze liepen weer samen door het natte gras naar de rivier. Ditmaal kwamen ze terug met een flinke gele baars. Maar wat ervan overbleef toen ze hem schoonmaakten, hadden ze in een paar happen op. Dus bakten ze maar weer boterhammen met vlees uit blik. Deze dag duurde nog langer en was nog saaier dan de vorige. Ook zijn vader maakte de indruk dat hij niet goed wist wat hij moest doen, nadat hij het kamp had opgeruimd en het lekke luchtbed had geplakt. Aan het eind van de middag zat Jasper verveeld kruimels op de grond te gooien, om te kijken hoe de mieren ze wegsleepten. Zijn vader was druk bezig een diepe geul te graven rond de tent, voor het geval er plotseling een gietbui uit de wolkeloze blauwe hemel boven hun hoofd zou vallen. Jasper wist dat het geen zin had om zijn vader erop te wijzen dat er nergens regenwolken te zien waren. Hij zou eenvoudig zijn schouders ophalen en zeggen: „Je moet altijd op alles voorbereid zijn." Dat was zijn lijfspreuk.

Jasper zuchtte en gooide de laatste broodkruimels op de grond. „Zullen we naar de stad gaan om eten te kopen?" vroeg hij aan zijn vader. Hij hoopte eigenlijk dat hij ergens een boek zou kunnen vinden, of ten minste een paar stripalbums, zodat hij in ieder geval iets te lezen had. „De vissen bijten niet erg, en we moeten toch eten."

Zijn vader keek hem verwijtend aan. „Ze bijten heus wel. Ik heb alleen nog niet het goede aas gevonden."

„Je zou het eens met dat vlees uit blik kunnen proberen," zei Jasper, terwijl hij zich afvroeg hoe ver het was naar de dichtstbijzijnde frietkraam.

„Bovendien is het meer dan dertig kilometer rijden naar de dichtstbijzijnde winkel," zei zijn vader.

Jasper duwde doelloos tegen een van de palen van het afdak. „We hebben toch niets te doen."

„Laat dat. Anders trek je het zeil stuk. Weet je niet wat je moet doen? Dan heb ik nog wel wat voor je. Ga maar een flinke stapel brandhout hakken met de bijl. Het wordt koud vanavond." Jasper trok een lelijk gezicht. „Wat is er?" vroeg zijn vader. „Je wou toch iets doen?"

„Ja, maar dat niet. Ik heb nog nooit met een bijl gewerkt."

„Dan is het tijd dat je het leert, vind je niet? Bovendien kun je de lichaamsbeweging goed gebruiken. Kijk maar." Hij gaf Jasper een stomp in zijn maag, waardoor hij bijna dubbelsloeg. „Zie je wel? Hier, doe dat maar eens bij mij." Hij stond op en hield Jasper zijn buik voor.

„Nee."

„Kom op. Sla maar. Hier. Zo hard als je kunt."

„Ik wil je helemaal niet slaan."

„Kom op!"

Jasper gaf zijn vader zonder veel overtuiging een lichte stomp tegen zijn buik.

„Nee, harder. Zo hard als je kunt, zei ik!"

Jasper haalde zuchtend uit en legde al zijn kracht in de volgende stoot.

Zijn vader glimlachte met zijn mond, maar zijn ogen lachten niet. „Zie je wel?" zei hij met een benauwde stem. „Allemaal spieren." Hij draaide zich om, pakte de bijl en gaf hem aan Jasper. „Vooruit, aan het werk. Na een uur houthakken ben je blij als je even kunt zitten en niets hoeft te doen."

Jasper nam de bijl met tegenzin van hem aan. „En als ik nu mijn been eraf sla?"

„Dat gebeurt niet, als je voorzichtig bent en niet naar jezelf toe slaat."

Jasper liep langzaam weg. „O ja," riep zijn vader hem na. Jasper wist wel dat hij nog wat zou zeggen. „Je hoeft geen bomen om te hakken. Neem maar alleen het dode hout dat al op de grond ligt." Even later voegde hij eraan toe: „En geen takken. Die branden te snel. De stukken moeten minstens zo dik zijn als je arm. En het liefst hardhout. Weet je wat hardhout is? Esdoorn of eik."

„Ja, dat weet ik," zei Jasper, terwijl hij verder liep. Hij zwaaide de bijl voor zich uit.

„Draag de bijl over je schouder! Anders sla je je been er echt af!"

„Ja hoor, het is wel goed," bromde Jasper, die nu zo ver weg was dat zijn vader hem niet meer kon horen. Toch legde hij de bijl over zijn schouder.

Hij begon niet meteen naar geschikte bomen te zoeken, want hij had geen zin om hout te hakken op een plaats waar zijn vader hem in de gaten kon houden en kritiek kon leveren op wat hij deed. In het begin liep hij alleen maar. Na ongeveer honderd meter hield hij de bijl met het handvat naar boven voor zich uit om de kleverige spinnenwebben te onderscheppen die onzichtbaar tussen de struiken hingen.

Afgezien van de spinnenwebben, die voor zover hij kon zien onbewoond waren, zag hij bijna geen teken van leven om zich heen. Waar waren al die dieren die hij 's nachts hoorde? Ze hielden zich

16

waarschijnlijk ergens verborgen en wachtten tot het avond werd om hem weer uit zijn slaap te kunnen houden. Maar waar waren de eekhoorns, de konijnen en de herten? Er liepen hier overdag toch ook dieren rond? Dit was tenslotte de wildernis. Waar waren dan de wilde dieren? De zure regen was voor zoogdieren en vogels toch niet zo erg als voor vissen?

Jasper hoorde links van zich een ritselend geluid en keek met een ruk opzij. Maar het dier dat het geluid had gemaakt, was alweer weg of had zulke goede schutkleuren dat hij het niet zag. Hij wist bijna zeker dat een beer meer lawaai zou hebben gemaakt. Waarschijnlijk was het een konijn of een grondeekhoorn geweest. De boswachter had niets over wolven gezegd. Het kon toch geen wolf zijn? Nee, die leefden altijd in groepen.

Jasper voelde een koude windvlaag in zijn nek en huiverde. Nadat hij zijn kraag had opgeslagen, begon hij om zich heen te kijken, op zoek naar een dode boom die hij in stukken kon hakken. Hij vond er een paar, maar ze waren te dik of te dun. Of het waren naaldbomen, en zijn vader had gezegd dat hij hardhout moest zoeken. Ten slotte vond hij een boom van ongeveer tien centimeter dik, die schuin tegen een andere boom stond. Er zaten nog een paar dode esdoornbladeren aan. Dat was precies wat zijn vader bedoelde. Jasper pakte de bijl vast als een honkbalknuppel. Die hield hij trouwens ook verkeerd vast volgens de honkbaltrainer die een paar jaar geleden net zo'n goede slagman van hem had proberen te maken als zijn broer was. Dat was natuurlijk niet Jaspers eigen idee geweest, zoals hij ook niet zelf had bedacht om te gaan houthakken.

Waarom liet zijn vader hem niet met rust? Dat deed zijn moeder toch ook? Zijn vader probeerde hem altijd te veranderen, zodat hij meer op hemzelf of Kevin zou gaan lijken.

Jasper gaf een aarzelende klap tegen de boom. De bijl stuitte terug en liet niet veel meer dan een schram achter in de bast van de boom. Kevin zou wel weten hoe hij een bijl moest gebruiken. Hij zou waarschijnlijk al klaar zijn geweest en de hele boom netjes in blokken naar het kamp hebben gebracht. Jasper gaf een hardere klap met de bijl tegen de boom. Na ongeveer vijftig slagen was het hem toch gelukt om de boom doormidden te krijgen. Hij ging buiten adem op de grond zitten. Dit werd zelfs nog meer werk dan hij had gedacht. Hij keek ontmoedigd om zich heen en zocht naar een makkelijkere boom. Zo dik als zijn arm, had zijn vader gezegd. Maar bedoelde hij Jaspers arm of die van hemzelf? Een eindje verderop lagen een paar afgevallen takken. Jasper stond op, sjokte ernaartoe en begon aan de grootste te trekken. Ze waren al zo lang dood dat hij ze met één klap van de bijl doormidden kon slaan. Dat was beter. Hij trok zijn donsjack uit en ging vastberaden aan het werk. Even later had hij een flinke stapel houtblokken. Hij ging hijgend op de grond zitten, om uit te rusten.

Nu merkte hij pas dat het laat begon te worden. De zon was niet meer zichtbaar door de boomtoppen en stond blijkbaar al dicht bij de horizon. Jasper had het warm gehad van het harde werk, maar nu begon hij af te koelen. Het zweet op zijn rug werd koud en klam. Het werd tijd om naar het kamp te gaan. Hij trok zijn jack aan, knielde naast het hout en stapelde zoveel mogelijk stukken tussen zijn rechterarm en zijn borst.

Ten slotte raapte hij de bijl op en klemde die onder zijn andere arm. Als hij de bijl hier achterliet, al was het maar voor even, zou zijn vader natuurlijk weer boos worden. Hij was klaar om terug te gaan. Er was maar één probleem: hij wist niet meer precies in welke richting het kamp lag.

Hij fronste zijn wenkbrauwen en keek om zich heen. In de verte zag hij een dode boom die schuin tegen een levende boom stond. Dat was in elk geval de goede kant op, dacht hij, en hij liep ernaartoe. Maar toen hij bij de schuine boom kwam, zag hij nergens sporen van zijn eerdere hakwerk. Het was blijkbaar niet dezelfde boom. „Wat is dat nou voor onzin," zei hij geërgerd. Hij krabde zich op zijn hoofd en keek nog eens goed rond. Een eindje verderop ontdekte hij nog een schuine, dode boom, en hij liep erop af. Zijn arm begon moe te worden, en daarom liet hij ongeveer een derde van het hout op de grond vallen. Dat zou hij later wel halen. Toen hij de tweede dode boom bereikte, zag hij net zomin sporen van bijlslagen als bij de eerste.

„Verdraaid," mompelde hij en gooide de rest van het hout op de grond. „Hoe kan dat nou?" Het begon schemerachtig te worden in het bos, zodat hij niet meer goed in de verte kon kijken. Hij zag geen schuine, dode boom meer.

Opeens kreeg hij pijn in zijn buik van angst. Hij deed zijn mond open en wilde om hulp roepen. Maar op het laatste moment hield hij zich in. „Nee," mompelde hij, terwijl hij met zijn hoofd schudde. „Dan lacht hij me natuurlijk weer uit. Denk nu eens goed na," zei hij tegen zichzelf. „Je kunt niet ver van het kamp zijn. Als je in een grote cirkel loopt, kom je vanzelf bij de tent of het pad uit. Oké. Dat doen we." Hij keek weer om zich heen, haalde diep adem en liep weg van de boom. Het voelde aan als een stap in het niets, hoewel de boom waar hij naast had gestaan, eigenlijk ook geen bekend punt was. Hij had alleen gedacht dat hij daar eerder was geweest. Maar het was in ieder geval een herkenbare plaats, en nu was hij nergens.

Dichtbij klonk de schreeuw van een uil. Jasper schrok en ging sneller lopen. De bomen leken in de vallende duisternis wel een doolhof of een hindernisbaan, en hoewel hij zijn best deed om in een cirkel te lopen, was er altijd wel een struik of een omgevallen boom die hem tot een omweg dwong. Hij wist echt niet meer of hij nog in de goede richting liep.

Het was al bijna helemaal donker en hij begon weer in paniek te raken, toen hij opeens op een open plek uitkwam en het tot hem doordrong dat hij het pad had gevonden. Hij bleef even stilstaan en zuchtte opgelucht. Maar toen bedacht hij dat hij niet wist of hij naar rechts of naar links moest lopen. „Die kant op," zei hij zacht tegen zichzelf, terwijl hij naar rechts wees. „Ja, dat is volgens mij de goede richting. En anders kan ik altijd nog na een tijdje omkeren en de andere kant op lopen. Het kan niet misgaan. Toch?"

Hij tilde de bijl op en begon in looppas het pad te volgen. Maar hij verstuikte bijna meteen zijn voet in een van de overwoekerde sporen en liep langzaam en hinkend verder. Hij dacht dat het niet lang meer zou duren voor hij het kampvuur zag, en hij vroeg zich af wat zijn vader zou zeggen. Erg vriendelijk zou het wel niet zijn. „Hoe kun je in vredesnaam verdwalen terwijl je brandhout hakt? Hoe ver was je nou helemaal van het kamp? Honderd meter? En ik zie dat je nog zonder hout bent teruggekomen ook!" Iets in die trant ongetwijfeld. Nou ja, hij was in ieder geval niet zo dom geweest om te gaan roepen. Hij had tenminste zelf het kamp teruggevonden. Als zijn vader door het bos had moeten rondlopen om hem te zoeken, zou hij pas echt op zijn kop hebben gekregen. Hoewel hij niet veel kon zien in het donker, merkte Jasper dat het pad smaller werd en dat er steeds meer planten op groeiden. Soms stonden er zelfs flinke struiken tussen de wagensporen, en meestal liep hij daartegen aan. Hij herinnerde zich niet dat het pad dat ze met de jeep hadden gevolgd op weg naar het kamp, zo wild was geweest. In het donker zag alles er natuurlijk anders uit, maar als het pad straks nog slechter begaanbaar werd, zou dat betekenen dat hij de verkeerde kant op was gegaan. Hij besloot nog even door te lopen.

Maar een paar passen verder werd het duidelijk dat het pad niet naar het kamp leidde, want hij liep tegen een paar hoge struiken aan, die midden op het pad stonden. Jasper begreep dat die struiken daar niet van de ene dag op de andere uit de grond waren geschoten. Nou ja, het was geen ramp, zei hij tegen zichzelf, terwijl hij zo min mogelijk probeerde te letten op de misselijk makende angstgevoelens die zijn maag in een harde bal veranderden. Hij had zich vergist, maar als hij terugliep, zou alles vanzelf goedkomen. Met een zucht draaide hij zich om en begon weer te lopen. Hij had het niet erg leuk gevonden in het kamp, maar hij zou dolblij zijn als hij eindelijk terug was. Opeens hoorde Jasper een zwakke kreet, die maar net uitkwam boven het geluid van zijn zware ademhaling en het geslof van zijn bergschoenen op het pad. „Het zal wel een uil zijn," mompelde hij, maar hij ging toch zachter lopen en luisterde gespannen. Daar was het geluid weer, in de verte. Jasper stond stil en hield zijn hand achter zijn oor. Maar hij hoorde alleen het gefluister van de wind door de struiken. Hij wilde net weer verdergaan, toen hij toch weer een geluid opving, dat gedragen werd door de wind. Het was de stem van zijn vader, die iets onverstaanbaars riep.

„Ja!" riep Jasper. „Ja! Ik kom!" Hij stortte zich in de struiken naast het pad en ging recht op het geluid af. „Ik kom eraan!" schreeuwde hij, terwijl hij op de tast verder rende. Maar hij had nog maar vijftig meter gelopen toen hij struikelde over een wortel of een steen, zodat hij languit op de grond viel. Hij bleef even dubbelgevouwen van pijn liggen en snakte naar adem. Toen hij een beetje was bijgekomen van de klap, ging hij kreunend overeind zitten en wreef over de linkerkant van zijn borstkas, die op een steen terechtgekomen was. „O jee," klaagde hij zacht, terwijl de tranen bijna in zijn ogen sprongen. „Wat ben ik toch een stommeling."

Terwijl hij op de grond zat en moed probeerde te verzamelen om verder te gaan, hoorde hij zijn vader weer roepen, maar nu van nog verder weg. „Ik ben hier!" riep hij met overslaande stem, maar hij begreep dat zijn vader hem niet kon horen. Toen hij probeerde op te staan, ontdekte hij nog meer nare gevolgen van zijn val. Hij was zijn bril kwijt en toen hij ging staan, voelde hij opeens een stekende pijn in zijn rechterknie. Hij zakte met een schreeuw in elkaar en viel bijna flauw.

Toen hij hersteld was van zijn duizeling, ging hij langzaam rechtop zitten en voelde voorzichtig met zijn vingers aan zijn zere been. Er zat een lange, rafelige scheur in zijn broek, en de stof eromheen was kletsnat. Eerst dacht hij dat hij in een plas was gevallen, maar toen voelde hij dat er nog meer nattigheid over zijn hand stroomde. „O nee," zei hij zacht. „Het is bloed." Hij werd plotseling weer duizelig en liet zich achterover op de grond zakken. Hij ademde snel en hees. Maar even later kon hij weer helder genoeg denken om te begrijpen dat hij op de een of andere manier een einde moest maken aan het bloeden. En snel ook. Anders zou zijn vader, als hij hem eindelijk vond, alleen nog maar een dood lichaam vinden.

Hoofdstuk 3

Jasper klemde zijn tanden op elkaar tegen de pijn en probeerde heel langzaam overeind te komen. Maar toen hij zich pas een klein stukje omhoog had gewerkt en op een arm leunde, werd hij alweer duizelig. Hij liet zich terugzakken, tot hij half op zijn zij lag. De hele situatie deed hem denken aan een van die afschuwelijke dromen waarbij je bijna wakker bent en voelt dat er iets ergs gaat gebeuren, zonder dat je genoeg energie kunt verzamelen om op te staan en het te voorkomen.

Hij lag een paar minuten stil. Hij hijgde en zweette enorm, hoewel de grond onder hem erg koud was. Ten slotte begon de pijn het te winnen van zijn duizeligheid. Opeens hoorde hij dichtbij een geluid. Hij hield zijn adem in en probeerde te luisteren, hoewel hij vooral zijn eigen bloed hoorde bonzen in zijn hoofd. Misschien was het zijn vader die naar hem toe kwam.

Maar hij hoorde niets meer. Waarschijnlijk was het een nachtdier geweest, dat rondscharrelde door de bladeren: een wasbeer op weg naar de rivier of een opossum die eten zocht. Dan had het geen zin om te roepen. Voor eerste hulp had je niet veel aan een opossum of een wasbeer. Als hij dit wilde overleven, moest hij zichzelf helpen. Het probleem was dat hij nooit op zijn best was in een crisis. Hij was nu eenmaal niet iemand die altijd wist wat hij moest doen. Zo werkten zijn hersenen niet. Hij had tijd nodig om een situatie te gaan begrijpen. Maar hoeveel tijd had hij ditmaal? Hoe lang zou het duren tot hij was doodgebloed? Een halfuur? Hoe lang lag hij hier eigenlijk al? Hij wist het niet. Hij dacht diep na. In al die boeken die hij had gelezen, moest hij toch weleens iets zijn tegengekomen waar hij nu iets aan had? Hoe zat het ook al weer met dat verhaal van John Steinbeck, waarin die jongen door een kogel werd geraakt? Hij had iets op zijn wond gedaan. O ja, spinnenwebben. Nou, daar had hij niet veel aan. Hij was die dag door massa's spinnenwebben gelopen, maar nu hij ze nodig had, waren ze natuurlijk nergens te vinden. Bovendien was de jongen in het verhaal gestorven, als hij het zich goed herinnerde.

Wat moest hij dan doen? Zijn been afbinden? Nee, hij wist vrij zeker dat je dat alleen moest doen bij een slagaderlijke bloeding. En er lag waarschijnlijk geen slagader open, want dan zou hij al dood zijn geweest.

Misschien was het goed om de wond dicht te drukken. Maar waarmee? Hij voelde in zijn zakken en vond de zakdoek die hij van zijn moeder had moeten meenemen, omdat hij die volgens haar beslist nodig zou hebben. Maar hieraan had ze vast niet gedacht. Omdat hij niet meer durfde te gaan zitten, pakte Jasper zijn bloedende been met twee handen vast en tilde het, kreunend van pijn en inspanning, over zijn gebogen linkerbeen. Hij trok aan de scheur in zijn broek om hem groter te maken, beet op zijn lippen en drukte de opgevouwen zakdoek op de wond. Dat deed zoveel pijn dat hij in elkaar kromp en een schreeuw gaf.

Hij voelde bijna meteen dat de zakdoek nat werd. De wond bloedde blijkbaar flink. Hoe lang zou het duren tot dat drukken begon te helpen? En wat moest hij doen als het niet hielp? Hij drukte harder.

Hij vroeg zich af hoe hij zo'n ernstige wond had kunnen oplopen bij een eenvoudige val over een steen. Eerst dacht hij dat hij met zijn knie op een andere steen met een scherpe rand was gevallen. Maar toen schoot hem te binnen dat de bijl de oorzaak kon zijn. Natuurlijk. Hij had de bijl in zijn hand gedragen, terwijl hij door de struiken rende. O jee. Dat zou hij nog jaren moeten horen. „Ik heb

24

je nog gezegd dat je de bijl over je schouder moest dragen! En je weet toch dat je nooit hard mag lopen met gereedschap in je handen?" Misschien was het maar het beste als hij hier bleef liggen en doodbloedde. Dan zouden ze spijt hebben. Hij had tegen zijn vader gezegd dat hij geen hout wilde hakken. Bovendien had hij helemaal geen zin gehad in deze vakantie. Hij wist dat er iets mis zou gaan. Dat gebeurde toch altijd. Als hij het voor het zeggen had gehad, lag hij nu thuis in bed een boek te lezen en niet in het bos dood te bloeden. Wat vreemd, hij begon een gevoel te krijgen alsof hij dronken was, of in ieder geval zoals hij zich dat voorstelde: hij voelde zich licht in zijn hoofd, er klonk een zacht gezoem in zijn oren, en de binnenkanten van zijn ellebogen tintelden. De pijn was zelfs wat minder geworden. Misschien was dit wat er gebeurde als je stierf: een langzaam wegzakken van je bewustzijn, zoals in dat verhaal over die uitgeputte poolreiziger die eenvoudig in de sneeuw ging liggen en in slaap viel.

Zonder dat Jasper het merkte, was zijn gewonde been langzaam van zijn andere been afgegleden, en nu viel het opeens op de grond, zodat er een scheut van pijn door hem heen ging. Hij schreeuwde en greep het been vast. Een dier dat geschrokken was van zijn schreeuw, rende met veel lawaai door de struiken weg. Wat zou het geweest zijn? Een hert? Of een beer? Kwamen beren net als haaien op de geur van bloed af?

Jasper rilde, niet alleen van de kou die vat op hem begon te krijgen, maar ook bij de gedachte aan beren. Dit was geen goede plaats om te blijven tot het licht werd en zijn vader hem zou vinden. Hij hees zich voorzichtig op een elleboog en nam de zakdoek van de wond. Nadat hij even had gewacht, voelde hij met zijn vingers aan zijn been. De wond was nog wel vochtig, maar het bloed stroomde er niet meer uit. Dat was in ieder geval een vooruitgang.

Nu had hij een verband nodig. Hij voelde weer in zijn broekzakken en vond de opvouwbare combinatie van een mes, een vork en een lepel, die hij in de kampeerwinkel had uitgekozen. Dat was zijn enige bijdrage geweest aan hun wildernis-uitrusting. Hij had ook een opvouwbare beker willen kopen, maar dat vond zijn vader onzin.

Jasper klapte het mes uit, dacht een tijdje na en trok toen zijn bloes uit zijn broek. Met het nogal botte mes zaagde hij met veel moeite de omgezoomde rand van de stof door, en daarna scheurde hij rondom langs de onderkant van zijn bloes een strook van zes of zeven centimeter af. Hij stak het mes terug in zijn zak, boog zich voorover en legde kreunend zijn pijnlijke been weer over zijn andere been. Daarna wikkelde hij de strook stof, zo strak als hij zonder al te veel pijn kon verdragen, rond zijn knie. Toen hij klaar was, zakte hij uitgeput op de grond. Het was duidelijk dat hij voorlopig geen plannen hoefde te maken om ergens naartoe te gaan. Als hij nauwelijks twee minuten rechtop kon zitten, kon hij zeker niet opstaan en door het bos lopen. Het zag ernaar uit dat hij de nacht toch hier moest doorbrengen. Hij had het geroep van zijn vader al een tijd niet meer gehoord – als het inderdaad zijn vader was geweest, en niet een of ander dier dat hem nadeed. Dus kon hij er maar beter niet op rekenen dat hij nog voor de ochtend gered zou worden. Wat moest je eigenlijk doen als je een nacht in het bos moest doorbrengen? In de boeken die hij had gelezen, maakten ze dan een bed van sparrentakken en gingen rond hun kampvuur zitten om konijnen te braden aan een stok. Dat klonk goed, maar helaas was het te donker om iets te zien en kon hij niet rondlopen om sparrentakken te verzamelen. Hij wist niet eens zeker of er wel sparren in de buurt stonden. Bovendien had hij niets om een vuur mee aan te steken, en zelfs als er toevallig een konijn zou langskomen, zou het niet meevallen om het te doden met zijn mes-vork-lepelcombinatie. Alleen voor de stok zou hij misschien wel kunnen zorgen.

Het leek hem het beste om de bijl en zijn bril te zoeken, en naar een boom te kruipen, zodat hij de stam als rugdekking kon gebruiken als hij werd aangevallen door een beer, een lynx of een veelvraat.

De bijl moest makkelijk te vinden zijn, want daar was hij bovenop gevallen. Hij voelde met zijn handen over de grond aan weerskanten van hem. Maar hij vond alleen stenen en planten. Daarom ging hij een stukje verliggen en zocht verder. Nadat hij eerst nog per ongeluk twee stokken had opgeraapt, voelde hij ten slotte de gladde steel van de bijl en trok hem naar zich toe. Het zoeken van de bril zou natuurlijk heel wat moeilijker worden. Daarmee kon hij beter wachten tot het licht werd. Hij ging overeind zitten, met de bijl op zijn schoot, en tuurde om zich heen in de duisternis. De nacht was helder genoeg om het silhouet van de bomen te kunnen zien tegen de donkere hemel. Hij kreeg de indruk dat er rechts van hem een flinke naaldboom stond. Met behulp van zijn armen en zijn goede been begon hij zich die kant op te slepen.

De eerste keer dat hij zijn lichaam verplaatste, kwam hij met zijn achterste op iets hards terecht. Hij hoorde iets breken en wist meteen wat er was gebeurd. Het goede nieuws was dat hij zijn bril had gevonden, en het slechte nieuws was dat er nu waarschijnlijk niet veel meer van over was. Jasper zuchtte berustend. Soms leek zijn hele leven wel een bewijs van de Wet van Murphy: als iets fout kan gaan, gebeurt dat ook. Hij leunde opzij en raapte de bril op. Voor zover hij op de tast kon nagaan, waren de glazen nog heel. Maar het montuur was doormidden gebroken. Hij stak de twee helften in het borstzakje van zijn bloes en ging weer verder naar de boom.

Ditmaal kwam hij een paar meter zonder ongelukken vooruit. Maar toen zette hij zijn linkerhand midden in een groepje distels. Hij vloekte en zwaaide met zijn hand om de steken minder goed te voelen. Daarna kroop hij verder. Hij kon nu nog maar één hand en één been gebruiken.

Toen hij de prikkende takken van de naaldboom tegen zijn hoofd voelde, was hij aan het eind van zijn krachten. Hij moest weer gaan liggen om bij te komen. De droge naalden die in de loop der jaren op de grond waren gevallen, vormden een soort cirkelvormig tapijt rond de boom, dat de koude, harde bodem bedekte. Als hij nu ook nog iets had om als deken over zich heen te leggen, zou het bijna draaglijk zijn. Hij zou zelfs blij zijn met zijn lekke luchtbed en die stomme mummieslaapzak, waarin hij altijd het gevoel had dat hij stikte. Hij probeerde niet te denken aan de zachte matras, de schone lakens en het dekbed thuis op zijn eigen kamer.

Wat gebruikten de pioniers als deken? Waarschijnlijk bizonhuiden. Of aan elkaar genaaide huiden van al die konijnen die ze altijd aten? Jasper zoog nadenkend aan een van zijn vingers die nog prikten van de steken van de distels. Er moest toch een manier zijn om warm te blijven. Als je een bed kon maken van takken van naaldbomen, kon je die misschien ook als deken gebruiken. Het was de moeite waard om te proberen.

Hij haalde zijn mes-vork-lepelcombinatie tevoorschijn, greep een tak boven zijn hoofd en begon te zagen. Hij kreunde van inspanning. De takken hingen laag boven de grond, maar het viel niet mee om ze door te zagen met zijn botte mes. Ondanks de koude lucht begon hij al snel te zweten. Als hij de hele nacht zo doorging, zou hij het in ieder geval niet koud krijgen.

Eerst leek het of hij inderdaad de hele nacht nodig zou hebben om een flinke stapel takken te verzamelen, maar nadat hij al een paar maal een lange pauze had gehouden om uit te rusten, besloot hij ten slotte dat hij genoeg had of anders maar dood moest vriezen. Hij zette de bijl binnen handbereik tegen de stam van de boom, voor als hij ongewenste dierlijke gasten kreeg. Daarna legde hij de takken heel zorgvuldig een voor een over zich heen, alsof hij een kerstboom aan het versieren was. Maar eigenlijk was het ditmaal andersom: de kerstboom versierde hem. De naalden kietelden onder zijn kin en prikten door de scheur in zijn broek tegen zijn blote been, maar verder waren ze geen slechte deken. Jasper zuchtte vermoeid en sloot zijn ogen. Zonder de kloppende pijn in zijn been, de steen die hem in zijn rug prikte, en het zeurende gevoel in zijn hand die door de distels was gestoken, had hij misschien zelfs kunnen slapen.

Hij deed zijn ogen weer open, omdat hij een geluid had gehoord. Daarna lag hij te luisteren tot het zich herhaalde. Hij was opgelucht toen hij een vogel hoorde zingen. Maar vogels zingen toch niet midden in de nacht? Was het eigenlijk nog wel nacht? Hij zag dat de hemel vaalgrijs was. Dus was hij blijkbaar toch in slaap gevallen. Het begon al dag te worden. Hij bewoog zijn pijnlijke nek heen en weer en deed wat oefeningen om zijn stijve gewrichten los te maken, totdat de hemel licht genoeg werd om zijn omgeving te kunnen zien.

Het was een troosteloze plaats die hij had uitgekozen om er de nacht door te brengen – nou ja, 'uitgekozen' was misschien wat te veel gezegd. Het was zelfs geen indrukwekkende wildernis. De bomen waren klein en knoestig. De meeste waren niet hoger dan een paar meter en ze stonden zo dicht bij elkaar dat hun takken als een heg in elkaar grepen. Er groeiden grijze korstmossen op de stammen, als glazuur op een cake.

Cake. Zijn maag ging hevig tekeer toen hij eraan dacht. Hij kon zich niet herinneren dat hij ooit zo lang achter elkaar niet gegeten had, behalve die keer dat hij de cassetterecorder kapot had gemaakt en door zijn vader zonder eten naar bed was gestuurd. En toen had zijn moeder hem nog stiekem een stuk kersentaart en een glas melk gebracht. Taart. Melk. Zijn tong en zijn mond leken wel van leer. Hoe lang was het geleden dat hij iets had gedronken? Sinds gistermiddag? En hij had ook een hoop bloed verloren. Als zijn vader niet snel kwam, zou hij door de kou en het vochtverlies nog in een gevriesdroogde klomp vlees veranderen, zoals de Zwitserse trekkersmaaltijden die ze bij zich hadden.

Misschien kon hij de kou uit zijn lichaam verdrijven door wat te bewegen. Hij hees zich krakend overeind tot in een zittende houding en haalde de twee helften van zijn bril uit zijn borstzakje. De glazen waren inderdaad nog heel, maar een van de scharnieren was verbogen. Hij duwde de deken van takken van zich af, boog zich voorover en onderzocht zijn gewonde knie door een van de brillenglazen, die hij als een loep voor zijn oog hield. De knie zag er slecht uit door al het gedroogde bloed dat erop zat, maar de pijn was al een stuk minder geworden en was niet erger meer dan wanneer de tandarts in een rotte kies porde. Eigenlijk moest er een nieuw verband om, maar daar had hij de moed niet meer voor. Bovendien zou het nu niet lang meer duren voor hij terug was in het kamp. Zijn vader zou wel weten hoe de wond behandeld moest worden. Hij bedacht dat hij misschien blij moest zijn met zijn wond, zoals sommige soldaten in de oorlog. De wond was niet zo ernstig dat hij invalide zou worden of zo, maar wel ernstig genoeg om eerder naar huis te mogen. Hij zou natuurlijk heel wat gemopper van zijn vader moeten aanhoren, maar daar was hij min of meer aan gewend. En ook als ze bleven, zou zijn vader wel iets vinden om over te zeuren. Waarschijnlijk zat hij op dit moment ook te mopperen, terwijl hij een kop koffie dronk, voordat hij op weg ging om zijn zoon te zoeken die altijd alles fout deed en voor wie hij nu een hele ochtend vissen moest opofferen. Zo meteen zou hij met grote stappen door de struiken komen aanlopen, terwijl hij Jaspers spoor volgde, zoals hij ook dat gewonde hert had gevolgd waarover hij zo graag vertelde. Elke keer dat hij het verhaal vertelde, werd de afstand waarover hij het dier had gevolgd, groter en groter. Het was nu al bijna vijftien kilometer geworden. Maar als zijn vader het spoor van een schuw hert kon volgen, mocht het zorgeloos gemaakte spoor van Jasper toch geen probleem voor hem zijn. Er was één ding dat Jasper niet begreep: waarom had zijn vader er niet aan gedacht om een paar maal flink te toeteren met de claxon van de jeep, zodat hij wist welke kant hij op moest lopen en zelf de weg kon vinden naar het kamp? Zijn vader wist tenslotte niet dat Jasper niet kon lopen. En het lag voor de hand om een of ander signaal te gebruiken. In de boeken die hij had gelezen, deden ze dat altijd als er iemand was verdwaald.

Voor het eerst kreeg hij het akelige gevoel dat zijn vader de situatie misschien niet volledig in de hand had en ook niet altijd wist wat hij moest doen. Misschien was hij Jasper gaan zoeken en zelf verdwaald. Nee. Jasper schudde zijn hoofd. Dat kon niet. Dan was er nog meer kans dat zijn vader zich zo zou ergeren dat hij gewoon weg zou gaan en zijn zoon aan zijn lot zou overlaten.

Jasper voelde een huivering door zich heen gaan. Het was zomaar in hem opgekomen, maar op de een of andere manier kwam het idee dicht genoeg bij de werkelijkheid om bijna mogelijk te zijn. Tenslotte had zijn vader hem ook al eens alleen achtergelaten bij de bioscoop in de stad, toen Jasper het geld voor de bus had opgemaakt aan snoep. Het was een goede les voor hem, had zijn vader door de telefoon gezegd. Als hij naar huis wilde, moest hij maar lopen. Die keer was zijn moeder hem uiteindelijk toch nog komen halen, en als hij had moeten lopen, was het niet meer dan een paar kilometer geweest. Maar nu was het dertig tot veertig kilometer naar de dichtstbijzijnde stad, en Jasper had geen flauw idee in welke richting die lag.

Maar het was onzin om zoiets te denken. Zo gemeen was zijn vader nu ook weer niet. Waarschijnlijk had hij niet getoeterd omdat hij dacht dat Jasper niet zou kunnen horen uit welke richting het ge-

31

luid kwam. En daar had hij vermoedelijk gelijk in. Jasper had vaak oorontsteking gehad en daardoor waren zijn oren niet veel beter dan zijn ogen.

Opeens dacht hij dat hij in de verte iemand hoorde roepen. Hij hield zijn adem in en luisterde. Maar het was een vogel. Hij riep zelf een paar maal aarzelend hallo, maar kreeg geen antwoord. Alleen hielden de vogels even op met zingen. Hij zuchtte en liet zich achterover zakken, om liggend op zijn redding te wachten. Maar zijn spieren en gewrichten deden zoveel pijn dat het hem al gauw moeite kostte om stil te blijven liggen. Hij zou eigenlijk uit de schaduw moeten kruipen om zich te warmen in de zon, die zichtbaar begon te worden door de boomtoppen. Als hij de bijl als stok of kruk gebruikte, kon hij misschien naar een open plek strompelen. Daar zou zijn vader hem ook makkelijker kunnen vinden.

Jasper kroop kreunend onder de takken van de boom uit en hees zich met behulp van de bijl overeind. Daarbij lette hij goed op dat de scherpe kant van de bijl van hem afgekeerd was. Door het bloed dat naar zijn benen stroomde, begon zijn pijnlijke knie te kloppen. Zijn gezicht vertrok van pijn en hij moest bijna weer gaan zitten. Maar toen hij even bleef staan, terwijl hij met zijn gewicht op de steel van de bijl leunde, werd de pijn geleidelijk minder.

Hij zuchtte van vermoeidheid en deed voorzichtig een klein stapje vooruit. Ook een reis van duizend kilometer begint met één stap, had hij weleens horen zeggen. Hopelijk was het geen duizend kilometer naar de dichtstbijzijnde open plek.

Het was zelfs helemaal niet ver. Hij zag een eindje verderop een straal zonlicht op de grond en strompelde ernaartoe. Hij hoefde maar eenmaal te rusten voor hij er was. Doordat de struiken erg dicht op elkaar stonden, groeiden hier geen bomen. Hij ging op een rotte, omgevallen boom zitten, waarvan de top door de struiken overwoekerd was, en strekte zijn gewonde been voorzichtig voor zich uit. Daarna trok hij zijn jack uit, sloot zijn ogen en liet zijn pijnlijke spieren warm worden door de zon. De warmte maakte hem slaperig en hij kwam een paar maal met een ruk overeind, nadat hij zo ver naar voren was gezakt dat hij bijna van de boomstam afviel. Hij begon te dromen en dacht dat hij zijn vader hoorde roepen. Ditmaal kon hij hem verstaan, maar zijn vader riep iets anders dan Jasper verwachtte. Hij riep niet: „Jasper, waar ben je?" maar „Jasper, help! Ik ben verdwaald!"

Jasper schrok op, keek suf om zich heen en zakte daarna weer langzaam weg. Hij kreeg de indruk dat de bijl, die hij tegen de boomstam had gezet, aan het vallen was. Het blad kwam op zijn been terecht en verwondde hem. Hij probeerde de bijl weg te duwen, maar op de een of andere manier viel die telkens weer op zijn been. Het leek wel of de bijl met opzet op hem inhakte. Hij werd met een schok wakker.

De bijl stond nog waar hij hem had neergezet. Toch stak hij zijn hand uit, pakte de bijl stevig vast en leunde achterover om hem aan de andere kant van de boomstam op de grond te leggen. Hij kreeg er bijna meteen spijt van, want plotseling klonk er vanuit het dichte struikgewas voor hem een angstaanjagend gekraak. Hij schudde met zijn hoofd, omdat hij dacht dat hij misschien weer droomde. Maar dat was niet zo. Hij tuurde angstig in het struikgewas en probeerde de oorzaak van het lawaai te ontdekken, dat onverminderd aanhield. Er klonk nu ook een hees, bijna menselijk gegrom.

Jasper slikte en riep aarzelend en hoopvol: „Papa?"

Hoofdstuk 4

Het geluid hield meteen op. Jaspers hart klopte in zijn keel. Ergens in het bos floot een vogel. Een vlieg vloog zoemend rond zijn gezicht en hij schudde even met zijn hoofd. Hij durfde bijna niet te bewegen. „Papa?" riep hij nog eens, met een angstige stem.

Hij schrok toen het geluid opeens weer begon. Alleen klonk het nu alsof het niet meer naar hem toe kwam, maar zich van hem verwijderde. Bovendien verplaatste het zich met een veel grotere snelheid. Jasper hees zich overeind en zag nog net een glimp van een lompe, zwarte gedaante die aan de andere kant van de open plek tussen de bomen verdween.

Jasper keek verbijsterd en schudde nog eens met zijn hoofd. „Nee toch?" zei hij ademloos. „Was dat een beer?"

Het moest wel een beer geweest zijn. Er leefden hier in de bossen geen andere dieren die zo groot waren, behalve herten, en hij wist vrij zeker dat die nooit zwart waren. Als hij in staat was geweest om in een boom te klimmen of weg te rennen, had hij dat gedaan. Maar omdat hij dat niet kon, hurkte hij en drukte zich met zijn rug tegen de boomstam. Hij pakte de bijl stevig vast en luisterde gespannen en doodsbang of de beer terugkwam.

Hij keek ook goed om zich heen. Misschien kwam de beer nu uit een andere richting, om hem te verrassen. Hij herinnerde zich dat hij ergens had gelezen dat beren erg intelligent en sluw zijn, en vooral berinnen met jongen vaak ook prikkelbaar en agressief. Hij had geen jonge beren gezien, maar die konden best ergens in de buurt rondkruipen. Hij hoopte dat ze niet nieuwsgierig naar hem toe zouden komen, zodat hun moeder woedend op hem werd.

Zijn been begon pijn te doen, doordat hij in een verkeerde houding zat. Hij raapte al zijn moed bij elkaar en verplaatste zijn lichaam voorzichtig een paar centimeter, zodat hij iets makkelijker zat. Maar aan de knagende pijn in zijn lege maag kon hij niets doen. Aten mensen eigenlijk berenvlees? En, nog belangrijker op dit moment, aten beren mensenvlees?

Toen er volgens zijn horloge, dat tot zijn verbazing al de tegenslagen had overleefd, bijna een uur voorbij was gegaan zonder dat hij was aangevallen en zonder dat hij iets gevaarlijkers had gehoord dan de kreet van een arend hoog in de lucht, ging hij voorzichtig weer op de boomstam zitten. Terwijl hij uitkeek over het struikgewas, vroeg hij zich voor het eerst af wat de beer daar eigenlijk met zoveel lawaai had gedaan. Had hij misschien eten gezocht? En wat voor eten?

Jasper nam het risico en hinkte gretig naar de rand van het struikgewas. Ja hoor, tussen de doornstruiken stonden een paar lage struiken die bezaaid waren met kleine, blauwe bessen. Hij plukte er een en proefde voorzichtig. De bes was niet erg sappig, maar Jasper herkende duidelijk de smaak van bosbessen. Hij begon met één hand zo snel mogelijk bessen te plukken en in zijn mond te proppen, terwijl hij met zijn andere hand op de bijl leunde. Maar hij bleef voorzichtig, want tenslotte was hij niet de enige in de omgeving die dol was op bessen. Terwijl hij at, keek hij voortdurend zenuwachtig om zich heen, als een vogel op een voederplaats.

Toen hij zijn buik vol had en zijn ene hand net zo donker was geworden als het verband rond zijn knie, hinkte hij terug naar de boomstam. Daar bleef hij lange tijd zitten, met de bijl op zijn knieën, terwijl hij om zich heen keek of hij zijn vader of de beer zag. Na ongeveer een uur begon hij last te krijgen van het harde hout waarop hij zat. Hij pakte zijn donsjack en vouwde het op tot een kussen. Toen hij erop ging zitten, voelde hij iets hards. Hij tilde het jack weer op en doorzocht de zakken. Tot zijn verrassing vond hij een dun pocketboek. „Allemachtig," fluisterde hij blij. Het was 'Heer van de vliegen' van William Golding, dat hij de afgelopen winter had gelezen en sindsdien nergens meer had kunnen vinden. Hij had het blijkbaar in zijn zak gestopt en was vergeten het eruit te halen toen hij het jack in het voorjaar in de kast opborg. Daar had het gelegen tot zijn moeder zei dat hij zijn donsjack mee moest nemen op hun kampeervakantie.

Jasper pakte het boek met twee handen vast en schudde het enthousiast door elkaar, zoals hij met een goede vriend zou hebben gedaan, als hij die had gehad. Toen ze in Pennsylvania woonden, had hij wel een paar vrienden, de kinderen met wie hij was opgegroeid. Maar toen hij tien was, waren ze verhuisd naar Elmira, waar zijn vader een baan kon krijgen. Voor zijn vader was het een succes geworden. Hij was nu de eigenaar van het bedrijf. Met Jasper was het minder goed gegaan. Hij leek nu eenmaal niet op Kevin, die even makkelijk vrienden maakte als doelpunten. Maar de vrienden van Jasper waren natuurlijk wel veel bijzonderder. Kevin kende vast niemand die zulk goed gezelschap was als Tom Sawyer of Sherlock Holmes.

Jasper bladerde het boek door, vouwde zijn jack weer tot een kussen en ging erop zitten. Daarna sloeg hij het boek open bij de eerste bladzijde. Als hij nu ook nog een fles frisdrank en een grote zak chips had gehad, zou hij het niet eens zo erg hebben gevonden dat hij verdwaald was.

Maar hij had moeite zijn gedachten bij het boek te houden. Bij elk geluid keek hij geschrokken op, en het bos was vol geluiden. Ondanks of misschien wel door zijn bessenmaaltijd rommelde zijn maag. Zijn gewonde knie jeukte en klopte vreselijk.

Na een paar bladzijden legde hij het boek voorzichtig naast zich neer. Hij tilde zijn gewonde been op een zijtak van de boom en begon langzaam het hard geworden verband eraf te halen. Het laatste stuk zat met gedroogd bloed vast aan de wond. Daarom spuugde hij een paar maal op zijn knie. Het kostte hem moeite, want doordat hij al zo lang niets had gedronken, had hij een erg droge mond. Maar het lukte hem toch om de knie nat genoeg te maken, en ten slotte kon hij het verband eraf trekken zonder dat het al te veel pijn deed. Daarna wreef hij met nog wat spuug een deel van het bloed rond de wond weg, zodat hij beter kon zien hoe erg het was.

Het was ongetwijfeld de ergste wond die hij ooit had gehad, maar dat zei niet zoveel want ondanks zijn onhandigheid was hij als kind altijd voorzichtig geweest. De bijl had een diepe snee gemaakt van bijna tien centimeter lang, schuin boven zijn knieschijf. Gelukkig had het noodverband de wond goed dichtgedrukt, zodat die al begon te genezen. Als hij zijn knie nog een tijdje kon stilhouden, zou het waarschijnlijk wel goed aflopen.

Hij bekeek het met bloed doortrokken verband. Het was maar goed dat zijn moeder het niet zag. Vreemd genoeg deed het hemzelf niet veel, hoewel hij bijna had overgegeven toen hij tijdens de biologieles een ontlede kikker moest bekijken. Iemand die een ernstige vleeswond kon oplopen en dan genoeg tegenwoordigheid van geest had om bij zichzelf een noodverband aan te leggen en het bloeden te stoppen, was toch niet zo'n slappeling als sommige mensen dachten, vond hij. Hij had even zin om het bloederige verband weer rond zijn knie te knopen, om indruk te maken als hij werd gevonden. Maar hij besloot het toch maar niet te doen, omdat het erg onhygiënisch zou zijn. Bovendien jeukte de wond zonder verband minder dan toen het er nog omheen zat. Daarom liet hij de wond onbedekt. Misschien was de zon er ook nog goed voor. Hij pakte zijn boek en begon weer te lezen.

Hij kon zich nog steeds niet goed concentreren op wat er stond.

Het deed hem denken aan lezen in de wachtkamer van de tandarts, terwijl je je voortdurend afvroeg of je er makkelijk vanaf zou komen of vreselijke pijn zou krijgen. Alleen ging het ditmaal niet om zijn tanden, maar om zijn leven. Waar bleef zijn vader? Wat moest hij doen als zijn vader hem niet kon vinden? Het was al twaalf uur geweest. Hoe lang moest hij hier nog zitten? Tot de beer terugkwam? Of tot hij stierf van de dorst? Als hij nog een nacht in het bos moest doorbrengen, kon hij beter een plek gaan zoeken met drinkwater in de buurt, en zonder beren.

Hij besloot nog een paar uur op deze plaats te wachten. Als ze hem dan nog niet hadden gevonden... Maar natuurlijk zouden ze hem vinden. Als zijn vader hem niet zelf vond, zou hij gewoon naar het kantoor van de boswachter rijden – dat was nog geen dertig kilometer – en hulp vragen. Dan zou er een zoekactie komen, misschien zelfs met helikopters. Ze zouden hem heus wel vinden. Maar de middag ging voorbij zonder dat Jasper stemmen of geweerschoten hoorde of vliegtuigen of helikopters zag. Waarom duurde het zo lang? Zijn vader moest nu toch voldoende ongerust zijn om naar het kantoor van de boswachter te gaan en alarm te slaan. Jasper begon te twijfelen. Zijn vader was niet iemand die gauw hulp vroeg. Dat leek te veel op opgeven. Hij zou waarschijnlijk blijven zoeken tot hij inzag dat hij zijn zoon onmogelijk in zijn eentje kon vinden. Maar tegen die tijd was zijn zoon misschien al in gedroogd berenvoedsel veranderd. Nee. Zo ver zou hij het niet laten komen. Zijn vader was niet de enige die koppig kon zijn. Jasper besloot dat hij het op de een of andere manier zou volhouden tot hij gered werd, of hij nu door zijn vader gevonden zou worden of door een grootscheepse zoekactie van alle boswachters en de hele plaatselijke bevolking, en of het nu vandaag zou zijn of over een week. Hij hoopte natuurlijk dat het geen week zou duren. Maar het zag er ook niet naar uit dat ze hem vandaag al zouden vinden. Volgens zijn horloge was het vijf uur. Dat betekende dat het nog een uur of drie licht zou blijven. Als hij een goede plek wilde vinden om de nacht door te brengen, moest hij niet te lang meer wachten met zoeken.

Eerst moest hij zijn wond weer verbinden. Toen hij een tweede reep van de onderkant van zijn bloes had gescheurd, was die te kort geworden om in zijn broek te stoppen. En het was een bijna nieuwe bloes. Zijn moeder zou woedend worden als ze het zag. Nadat hij zijn knie stevig had ingepakt, raapte hij zijn jack en de bijl op en hinkte naar de struiken om zich nog eens vol te stoppen met bessen. Het kon tenslotte lang duren voor hij weer bessenstruiken vond. Het was jammer dat hij niets had om ze in mee te nemen, een mandje of een…

Wacht eens. De indianen maakten toch vaak mandjes? Maar waarvan? Van riet? Of van berkenbast? Hij keek om zich heen. Een eindje verderop, aan de rand van de open plek, stond een paar witte berken. Nou ja, hij had toch niets beters te doen, behalve lezen. En het was misschien een goed idee om langzaamaan te doen met zijn boek, want als hij het uit had, kon hij niet even naar de bibliotheek gaan om een ander te halen.

De tocht naar de bomen was het moeilijkst. Het lopen deed Jasper nog veel pijn, maar toen hij eenmaal bij de bomen was, bleek het vrij eenvoudig te zijn om met de bijl een groot vierkant uit de bast te snijden en los te trekken van de boom. Hij had thuis vaak doosjes gemaakt van karton en gebruikte de berkenbast nu op dezelfde manier. Alleen maakte hij het bakje wat smaller en dieper. Om de zijkanten omhoog te houden en de hoeken met elkaar te verbinden gebruikte hij takjes die hij als een soort spijkers door de bast stak.

Toen hij klaar was, hield hij het mandje omhoog om het te bekijken. Het was misschien niet erg stevig, maar verder zag het er niet slecht uit voor een eerste poging. De indianen gebruikten waarschijnlijk dunne wortels van sparren of pezen van herten om hun manden steviger te maken, maar zo kon het ook wel. Hij liep terug naar de bessenstruiken. Toen hij het mandje vol had, was hij doodop. Hij rustte even, maar niet te lang, want de zon begon al naar de boomtoppen te zakken.

Hij vroeg zich af in welke richting hij het beste kon lopen om een betere slaapplaats te zoeken. Hij had de neiging om terug te gaan naar waar hij vandaan kwam. Maar wat had hij daaraan? Toen hij daar was, was hij ook al verdwaald. Bovendien moest hij dan heuvel op lopen, en hij bedacht dat hij meer kans had om water te vinden als hij van de helling af liep. Dat was ook een stuk makkelijker, en als je niet wist in welke richting de bewoonde wereld lag, maakte het niet uit welke kant je opging.

Hij herinnerde zich dat er methoden waren om te bepalen waar het noorden en het zuiden lagen. Hoe was het ook al weer? Je moest een lijn trekken halverwege tussen de kleine wijzer van je horloge en het cijfer twaalf, of zoiets. Maar daar had hij niet veel aan, want hij had een digitaal horloge. Bovendien had hij geen flauw idee in welke kompasrichting hij had gelopen toen hij het kamp verliet, of toen hij terug probeerde te gaan.

Hij had eens een verhaal gelezen waarin een man die volledig verdwaald was, zich gered had door almaar stroomafwaarts te lopen langs beken en rivieren, tot hij bij een dorp kwam. Het verhaal speelde zich af in het oerwoud en het dorp bleek bewoond te worden door woeste koppensnellers, maar in theorie was het een goed idee.

Jasper besloot langs de helling naar beneden te gaan. Hij hees zich vermoeid overeind, tilde voorzichtig zijn volle mandje op en begon om de struiken heen te lopen. Toen hij bijna aan de andere kant was, schoot het hem te binnen dat hij iets had laten liggen wat net zo onmisbaar was als de bijl. Hij had zijn boek vergeten. Dat lag nog op de omgevallen boom. Hij aarzelde even, omdat hij al een flink eind had gelopen. Toen legde hij zijn jack en het mandje met een diepe zucht in het gras en hinkte terug om het boek te halen.

Ten slotte bereikte hij toch de andere kant van het struikgewas. Daar zag hij het pad dat de vluchtende beer door de struiken had gemaakt. Het pad was een meter breed, en het leek wel of er een tank voorbij was gekomen. Jasper floot zacht voor zich uit en bleef op een veilige afstand. Met zijn pijnlijke been zou hij weinig kans hebben om te ontkomen aan een beer met vier gezonde poten.

Waar het bos weer begon, zag hij nog een spoor van de beer. Op de stam van een dikke boom was er vlak boven zijn hoofd een lichte plek, waar de schors was losgetrokken. Er zaten voren in de boom, die meer dan twee centimeter diep waren. En die boom was toch heel hard. Wat zou er dan wel niet gebeuren als die beer zijn klauwen in week mensenvlees zou zetten? Jasper huiverde en liep snel verder.

Als hij de sporen van de beer niet had ontdekt, zou hij bijna zijn gaan denken dat hij het zich had verbeeld, of dat hij de beer in een droom had gezien. Behalve af en toe een vogel zag hij nergens leven in het bos. Rond het huis van zijn tante die in een buitenwijk van een grote stad woonde, liepen meer wilde dieren dan hier. Er hupten groepjes konijnen door haar keurig nette tuin om aan de planten te knabbelen, en af en toe zag je een egel rondscharrelen. Volgens zijn tante liepen er soms zelfs herten op de heuvel achter het huis.

Maar als het bos zo leeg was en de meren bijna dood waren, waarom maakten de mensen dan zo'n drukte over het behouden van dit natuurgebied in zijn 'oorspronkelijke toestand'? Als er hier niets anders wilde of kon leven, konden ze net zo goed de bomen omhakken en er balken en planken van maken om huizen mee te bouwen voor mensen.

Als dit een woonwijk was geweest in plaats van een bos, zou hij niet verdwaald zijn. Hij had alleen maar de straatnamen hoeven te onthouden, en desnoods had hij iemand de weg kunnen vragen. Maar als dit een gebied met huizen, straten en tuinen was geweest, zou hij ook geen hout zijn gaan hakken, want dat zou daar niet kunnen. En ze zouden ook niet gekampeerd hebben. Ze zouden hier zelfs niet naartoe zijn gegaan.

Als de mensen zo nodig deze wildernis wilden behouden, konden ze er toch minstens wegen en paden aanleggen, met wegwijzers, zodat je wist waar je was en welke kant je op ging. En misschien konden ze hier en daar een schuilhut bouwen, met automaten waaruit je iets te eten kon halen.

Terwijl hij deze verbeteringen liep te bedenken, kwam Jasper tot zijn verrassing uit op een soort bospad. Hij stond stil om het te bekijken. Het was niet erg breed en ook niet overal even duidelijk zichtbaar, maar het was beslist een pad. Terwijl de bodem van het bos verder overal met mos, dennennaalden en varens bedekt was, liep hier een spoor van ongeveer een halve meter breed dat uit kale aarde bestond, met alleen hier en daar wat vertrapte, taaie plantjes. Iets of iemand was hier herhaaldelijk overheen gelopen, en waarschijnlijk nog niet zo lang geleden, dacht Jasper, maar hij wist het helaas niet zeker. Het was in ieder geval een spoor dat hij kon volgen. Uiteindelijk moest het ergens naartoe leiden. Zelfs als het bij een lege jagershut of een oud houthakkerskamp uitkwam, was dat een vooruitgang, want nu was hij helemaal nergens.

Jasper kreeg wat meer hoop en stond zichzelf een korte pauze toe. Hij ging op een bemoste steen zitten en at een paar bessen. Hoewel hij de zon niet kon zien achter de bomen, vermoedde hij dat het niet lang meer zou duren tot het donker werd. Hij keek op zijn horloge. Het was kwart over vijf.

Kwart over vijf? Dat kon toch niet? De vorige keer dat hij op zijn horloge keek, was het vijf uur, en dat was een hele tijd geleden. Hij keek nog eens. De puntjes die aan en uit gingen om de seconden aan te geven, deden het niet. Geweldig. Hij had het blijkbaar ergens tegenaan gestoten toen hij de berkenbast loshakte. Nou ja, zo belangrijk was het nu ook weer niet. Het werd donker als het donker werd, en niet als zijn horloge vond dat het tijd was.

Hoewel hij wist dat het geen zin meer had om zijn horloge om te houden, gooide hij het niet weg, al wist hij niet precies waarom. Misschien vond hij dat het niet in de wildernis om hem heen thuishoorde, of misschien gaf het hem een gevoel van vertrouwdheid, zodat hij als het ware nog een schakel met de beschaving zou verliezen als hij het weggooide.

Nu hij niet meer wist wanneer het donker zou worden, kreeg Jasper haast. Hij stond vermoeid op en hinkte verder over het pad Hoewel er geen wegwijzers waren, was het niet moeilijk te volgen, tot het zich opeens splitste. Welk pad moest hij nu nemen? Hij koos het pad dat volgens hem het meest gebruikt werd, maar eigenlijk was zijn keuze min of meer willekeurig.

Ook nu hij geen hindernissen meer tegenkwam, had hij nog moeite met lopen. Om zijn pijnlijke been niet te hoeven buigen, maakte hij er bij elke stap een zwaai mee naar opzij. Daardoor stootte hij herhaaldelijk met dat been of met zijn linkerschouder tegen de bomen langs het pad. Na een tijdje zag hij een rode vlek op het verband rond zijn knie, die te groot en te rond was om deel uit te maken van het ruitjespatroon van de stof. „O nee," jammerde hij. „De wond is weer opengegaan."

Een paar stappen verder vond hij een geschikte rots en ging erop zitten. Tot zijn ontzetting merkte hij dat niet alleen zijn wond was opengegaan. Ook zijn 'indiaanse' mandje van berkenbast was lek geraakt. Er lag nog maar een klein bodempje bessen in. Jasper kreunde en sloeg met de palm van zijn hand tegen zijn voorhoofd.

Hij had het mandje onder zijn arm gedragen en waarschijnlijk te hard geknepen toen hij tegen een boom stootte. Met een ongelukkig gezicht keek hij naar het pad achter hem. Nou ja, als hij om de een of andere reden langs dezelfde weg terug moest, zou dat heel eenvoudig zijn, want hij had een duidelijk spoor van bosbessen achtergelaten, alsof hij Hans en Grietje had willen nadoen.

„Ongelooflijk," zei hij. „De Rare Schutter slaat weer toe." De Rare Schutter. Vreemd dat die naam nu weer in hem opkwam. Het was lang geleden een tijdje zijn bijnaam geweest, nadat hij tijdens een voetbalwedstrijd keihard in zijn eigen doel had geschoten. Niemand had gewild dat hij meespeelde, maar Kevin had het voor deze ene keer voor hem opgenomen en ervoor gezorgd dat hij toch mee mocht doen. En toen had Jasper zo'n ontzettende stommiteit uitgehaald. Iemand had hem Rare Schutter genoemd, en doordat hij altijd alles verkeerd deed, was dat zijn bijnaam geworden. Pas een jaar later waren ze geleidelijk opgehouden die naam te gebruiken, maar als ze op school hoorden hoe hij was verdwaald, zouden ze hem vast weer zo gaan noemen.

Misschien was het beter als hij niet werd gevonden. Hij kon hier blijven en een kluizenaar worden, die van wortels en bessen leefde. Maar dan moest hij concurreren met de beer. Het leek wel of er altijd iemand was met wie je op de een of andere manier moest vechten, zelfs hier in het bos.

Terwijl hij op de steen zat en nadacht over wat hij nu het beste kon doen, werd hij zich geleidelijk bewust van een zwak geluid in de verte, dat hem tot nu toe niet was opgevallen. Het klonk alsof verscheidene mensen onafgebroken door elkaar heen praatten. Jasper gaf bijna een schreeuw van blijdschap. Het pad leidde dus toch ergens naartoe! Hij sprong overeind, pakte zijn spullen en hinkte als een bezetene verder over het pad. Hij vond het niet meer nodig om voorzichtig te zijn met zijn wond, want hij was bijna gered.

Hoofdstuk 5

Toen hij nog maar een klein stukje had gelopen, werd het pad plotseling steiler, zodat hij moeite had om zijn evenwicht te bewaren. Omdat hij last had van zijn bessenmandje, gooide hij het, met de laatste paar bessen erin, naast het pad.

De helling werd nu nog steiler en het pad begon te slingeren om de afdaling makkelijker te maken. Jasper was al snel doodmoe en ging op een dik kussen van mos zitten om uit te rusten. Toen zijn ademhaling en zijn hartslag rustiger werden, luisterde hij of hij de stemmen nog hoorde. Maar nu hij dichterbij was, klonk het geluid plotseling heel anders. Het was het geklater en geborrel van een beek.

Jasper schudde met zijn hoofd en zuchtte diep. Hij had het kunnen weten. Nou ja, hij was tenminste goed opgeschoten. Bovendien was hij op zoek naar water, en dat had hij nu gevonden. Hij had er alleen spijt van dat hij de bessen had weggegooid.

Hij stond langzaam op en liep verder over het pad naar beneden. Even later zag hij de beek onder aan de helling. Er was geen brug, huis of ander teken van menselijk leven. Zelfs het pad hield op aan de rand van het water. Jasper stond stil bij het water, op een zandstrandje dat omgewoeld was door tientallen kleine, scherpe hoefafdrukken. Het pad dat hij zo gretig en vol vertrouwen had gevolgd, was niet door mensen gemaakt. Het was een oud wildpad, dat was uitgesleten door herten die naar hun drinkplaats liepen.

Jasper volgde het voorbeeld van de herten. Hij ging moeizaam op zijn buik liggen, hield zijn mond in de beek en dronk met diepe teugen. Het water smaakte een beetje naar bladeren, of in ieder geval zoals hij dacht dat bladeren smaakten. Hij had zijn hele leven alleen gechloreerd leidingwater of water uit flessen gedronken en daardoor vond hij dat dit water vreemd en onaangenaam smaakte. Maar het was water, en hij had al een hele tijd niets gedronken.

Nadat hij zijn dorst had gelest, keek hij om zich heen. Hij zocht een beschutte plaats waar hij de nacht kon doorbrengen. Op de andere oever lag een reusachtige, ontwortelde boom, die op een aantal grote keien terecht was gekomen. Daardoor was er een holte van ongeveer een halve meter hoog ontstaan tussen de boom en de grond. Dat was een prachtige schuilplaats. Jasper trok zijn schoenen en sokken uit, rolde zijn broekspijpen op en stapte in de beek. Hij beet op zijn tanden toen hij voelde hoe ijskoud het water was, en waadde zo snel mogelijk over de glibberige stenen naar de overkant.

Op de andere oever trok hij zijn schoenen weer aan en begon de schuilplaats te verbeteren. Nadat hij de grond onder de boom had ontdaan van stokken en stenen, liep hij naar een den en hakte er met de bijl al het groen af waar hij bij kon. Een deel ervan spreidde hij als matras op de grond uit en de rest legde hij als dak over de boom en de grote keien die ernaast lagen.

Toen hij klaar was, begon het al donker te worden en was hij te moe om nog iets te doen. Hij kroop in zijn schuilplaats om te gaan slapen. Maar het duurde lang voor hij in slaap viel. Blijkbaar had hij nog niet de goede methode gevonden om een bed te maken van dennentakken. Hoe hij zich ook draaide of keerde, hij kon geen houding vinden waarbij de punten van de takken niet in zijn ribben porden. Ten slotte trok hij zijn donsjack aan, dat hij eerst als kussen had gebruikt. Daardoor lag hij iets zachter, en uiteindelijk viel hij toch in slaap.

In de loop van de nacht werd hij verkleumd wakker, met een stekende pijn in zijn buik. Het eerste wat in zijn slaperige hoofd op- kwam, was dat hij een blindedarmontsteking had. „Mama!" riep hij, terwijl hij met een ruk rechtop ging zitten. Maar daardoor stoot- te hij zijn hoofd tegen de boom, zodat hij er hardhandig aan werd herinnerd waar hij was. Niemand kon hem horen, en zeker zijn moeder niet. Hij ging weer liggen, trok zijn knieën tegen zijn buik en kreunde zachtjes, terwijl zijn tanden klapperden. Dit was een ge- vaar van de wildernis waaraan hij nog helemaal niet had gedacht.

Wat was de beste behandeling bij een blindedarmontsteking? Het was duidelijk dat een verband van een stuk van zijn bloes niet veel zou helpen. Wat moest hij doen?

Even later hoefde hij er niet meer over na te denken. Hij moest een wc zoeken, en snel ook. Hij kroop uit zijn schuilplaats en strui- kelde krom van de pijn, terwijl hij toch ook zijn gewonde been niet kon buigen, zover mogelijk de duisternis in. Maar hij kwam niet verder dan vijf of zes meter.

Toen werd het duidelijk wat voor ziekte hij had. Hij dacht aan de vreemde smaak van het beekwater en vroeg zich af of herten wel- eens last hadden van diarree. Waarschijnlijk niet. En ze zouden zich ook wel niet afvragen wat ze als wc-papier konden gebruiken. Na- dat hij even had nagedacht en in zijn zakken had gezocht, haalde hij 'Heer van de vliegen' uit zijn jack. Maar hij stopte het snel weer te- rug. Dat was heiligschennis. Maar had hij een keus? Aarzelend haalde hij het boek weer tevoorschijn.

Tenslotte had hij de eerste vijfentwintig bladzijden al gelezen. Dus wat deed het ertoe? Met een half afgewend gezicht pakte hij de eerste bladzijden vast en scheurde ze voorzichtig uit het boek. Het deed hem denken aan het trekken van een kies.

Tegen de tijd dat het licht begon te worden, had hij het hele voor- woord en ongeveer tien bladzijden van het boek gebruikt. Alles bij elkaar had hij misschien twee uur geslapen, en hij was te zwak om zich uit zijn hol te slepen. Hij was nog verder uitgedroogd en had ondanks de stekende pijn in zijn buik enorme honger. Bovendien wist hij nu helemaal niet meer waar hij was. Zijn situatie werd steeds hopelozer.

Hij besloot maar wat te gaan lezen. Dat loste niets op, maar het maakte het allemaal wel iets draaglijker en gaf hem het gevoel dat hij niet alleen was. Thuis zocht hij ook altijd zijn toevlucht in een boek als het leven om de een of andere reden niet leuk was.

Hij wist niet hoe lang hij daar gelegen had met het boek vijftien centimeter van zijn bijziende ogen, terwijl hij afwisselend las en wegdommelde, maar op een gegeven moment merkte hij dat het donkerder werd. Hij begreep het niet goed en keek op zijn horloge. Maar dat stond nog steeds op kwart over vijf. Hij had zijn hoofd naar buiten kunnen steken om te kijken hoe hoog de zon stond, maar dat was te veel moeite. Daarom ging hij maar verder met lezen. Hij was nu bij het hoofdstuk gekomen waarin de jongens het besluit nemen om een vuur te maken op de top van de berg, in de hoop dat iemand het zal zien. Maar dat kon hij toch ook doen? Natuurlijk! Wat dom dat hij dat niet eerder had bedacht. Hij stond al met de bijl buiten zijn schuilplaats toen hij zich realiseerde dat hij niets had om een vuur mee aan te steken. Hij voelde zonder veel hoop in zijn zakken. Misschien had hij daar ooit, zonder er bij na te denken, een doosje lucifers in gestopt. Maar hij kon er geen vinden. Hij ging op een van de keien zitten om na te denken. Er waren toch nog andere manieren om een vuur aan te steken? Door stokjes tegen elkaar te wrijven, of met een vuursteen en staal. Dat deden de indianen en de pioniers ook. Maar die maakten bedden van dennentakken, die niet op martelinstrumenten leken, en manden die heel bleven.

Misschien stond er in het boek nog iets wat hem op een idee bracht. Hij haalde het uit zijn zak en ging door met lezen waar hij

gebleven was. En ja hoor, een paar bladzijden verder stond de oplossing. Jasper sloeg zich tegen zijn voorhoofd. Waarom had hij
daar zelf niet aan gedacht? Het was zo eenvoudig. Ze gebruikten
een bril als brandglas om zonnestralen te bundelen en op een hoopje droge takjes te richten.

Jasper stak het boek snel in zijn zak en kroop in het rond om een
flinke berg dode bladeren en takjes te verzamelen. Zelfvoldaan
hield hij een van zijn brillenglazen omhoog. Hij hoefde nu alleen
nog maar zijn bril op de goede plaats te houden, zodat de zonnestralen als een felle lichtvlek op de takjes vielen. Maar er was een
probleem: de zon werkte niet mee. Jasper fronste zijn wenkbrauwen, leunde achterover en keek naar de lucht. Geen wonder dat hij
daarnet de indruk had gekregen dat het donkerder werd. De hemel
die de hele nacht helder en vol sterren was geweest, was nu bedekt
met donkere wolken. „O geweldig," zei hij vol afkeer. „Dat ontbrak
er nog aan."

Hij was gelukkig al zo verstandig geweest om een schuilplaats te
maken. Maar hij wilde dat hij ook zo slim was geweest om niet zijn
laatste eten weg te gooien. Hij keek weer naar de wolken en vroeg
zich af of hij, voordat het begon te regenen, nog heen en weer kon
strompelen naar de plaats waar hij zijn mandje had laten vallen. Hij
werd trouwens liever nat dan dat hij doodging van de honger.

Nadat hij voor zichzelf een stevige wandelstok had gemaakt, legde hij de bijl in zijn schuilplaats. En hij legde zijn donsjack naast de
bijl. Daarna stak hij op blote voeten de beek over, trok aan de overkant zijn schoenen weer aan en klom langzaam langs het pad omhoog. Hoewel zijn been nog stijf was en pijn deed, was het door de
rust die hij had genomen, toch al flink vooruitgegaan. Hij kon de
steile klim vrij goed aan. Alleen moest hij om de vijf minuten even
stoppen om uit te rusten. Misschien kon hij zelfs zo ver teruglopen
dat hij een deel van de gevallen bessen kon oprapen.

Doordat hij binnenkort eten zou hebben, al was het niet veel, werd hij een klein beetje vrolijker. Hij kreeg meer vertrouwen in zijn kansen om gered te worden en het avontuur te overleven. En hij dacht er zelfs aan wat voor spannende verhalen hij zou kunnen vertellen als hij thuiskwam.

Hij probeerde zich te herinneren waar hij het mandje had weggegooid. Het was niet ver voorbij het punt waar het pad steil begon te worden. Dus veel verder kon het niet meer zijn. Terwijl hij liep, keek hij naast zich in de struiken aan beide kanten van het pad.

Plotseling schrok hij van een geluid. Hij keek op en bleef doodstil staan. Minder dan twintig meter van hem vandaan werd het pad volledig geblokkeerd door een reusachtige, donkere gedaante, die aan iets wits krabde. Jasper kneep zijn ogen samen en probeerde te zien wat het was. Maar zijn bonzende hart wist het al: het was de beer, die zijn bessenmandje aan flarden scheurde.

Hoofdstuk 6

Jasper slikte en begon langzaam achteruit te lopen. Zijn benen trilden zo ontzettend dat hij waarschijnlijk niet eens overeind had kunnen blijven als het pad vlak was geweest. Maar op de steile helling gleed hij al na tien stappen uit. Hij brak zijn val met zijn handen en krabbelde snel weer op, maar daarbij maakte hij natuurlijk veel lawaai. Hij hoorde de beer grommen en ving nog net een glimp op van het dier, dat op zijn achterpoten ging staan en boven de bomen leek uit te steken. Daarna draaide hij zich snel om en rende van de helling af. Soms gleed hij meer dan dat hij liep.

Het begon hard te regenen en de bladeren onder zijn voeten werden spekglad. Hij had een tintelend gevoel in zijn nek en verwachtte elk ogenblik een klap van een zware klauw. Hij deed geen moeite om op het pad te blijven, maar stortte zich recht naar beneden en rende dwars door de struiken naar de beek, die hij met zijn schoenen en sokken aan overstak. Hij ging zo hard dat hij betwijfelde of zijn voeten nat werden. Pas toen hij bij zijn schuilplaats was, hield hij in. Hij dook naar binnen, greep de bijl en draaide zich om, om zich tegen zijn achtervolger te verdedigen.

De beer was nergens te zien. Jasper lag buiten adem en doornat van de regen en het zweet in zijn hol en keek naar buiten. Hij verwachtte dat de beer grommend en met veel gespat door de beek naar hem toe zou komen rennen.

Toen er vele lange seconden voorbij waren gegaan zonder dat de beer zich liet zien, begon Jasper een beetje te kalmeren, maar hij bleef gespannen, want het kon heel goed dat de beer zich ergens had verstopt en op het juiste moment wachtte. Misschien maakte hij een omtrekkende beweging om Jasper van achter aan te vallen. Het dunne dak van de schuilplaats kon hij met zijn sterke poten makkelijk verbrijzelen.

De takken waarvan Jasper het dak had gemaakt, boden weinig bescherming. Ze konden zelfs de regen niet tegenhouden. De dennentakken verzamelden de duizenden kleine regendruppels in honderden grote druppels, die als waterbommen uit elkaar spatten zodra ze op hem vielen.

Jasper probeerde te schuilen onder de stam van de omgevallen boom. Maar dat was nauwelijks een vooruitgang, want de regendruppels stroomden langs de zijkanten van de stam en vielen in een lange, rechte lijn naar beneden, zodat ze een koude, natte streep over zijn lichaam trokken. Ten slotte vond hij een redelijk droge plaats door zich op zijn zij te draaien. Alleen het water dat over de grond liep, kon hij niet vermijden. Zijn donsjack, en het boek in de zak ervan, hield hij min of meer droog door het onder de rand van een van de keien te leggen. Na een tijdje bedacht hij dat het nogal dom was om zo te blijven liggen en de regen te vervloeken, terwijl hij verging van de dorst doordat hij geen schoon water had. Het probleem was dat hij niets had waarmee hij de regen kon opvangen. Nu had hij die opvouwbare beker die hij van zijn vader niet had mogen kopen, goed kunnen gebruiken.

Er moest een betere manier zijn dan gewoon zijn mond omhoog houden in de regen. Zijn kleren waren al zo nat dat hij zijn dorst bijna kon lessen door ze boven zijn hoofd uit te wringen. Dat was trouwens geen slecht idee.

Hij knoopte zijn bloes open, trok hem moeizaam uit en legde hem buiten in de regen. Toen zijn bloes goed nat was, trok hij hem weer naar binnen. Hij rolde hem op, hield hem boven zijn mond en wrong. Een groot deel van het water stroomde over zijn gezicht, maar er kwam toch ook wat in zijn mond. Erg lekker was het niet, want het smaakte nogal naar zweet. Maar hij zou er in ieder geval geen diarree van krijgen. Hij legde de bloes weer buiten en ging door tot hij geen dorst meer had en kletsnat was.

Voorlopig hoefde hij zich geen zorgen te maken over drinkwater, want het bleef de hele dag regenen. Dat had bovendien het voordeel dat de beer misschien ook aan het schuilen was.

Tegen de avond vond Jasper dat hij niet natter kon worden dan hij al was. Hij kroop uit zijn schuilplaats en begon vierkanten te hakken uit berkenbast, om zijn schuilplaats te verbeteren. De stukken bast hadden de neiging om aan de randen om te krullen, maar door er stenen en dode takken overheen te leggen lukte het hem toch om er een redelijk waterdicht dak mee te maken. Hij spreidde berkenbast uit over de vloer van zijn hol en ging daar voorzichtig op liggen. Daarna kroop hij weer naar buiten om nog een paar stukken bast uit te hakken, die hij als een soort deken over zich heen legde.

Het was jammer dat zijn kleren zo nat waren. Hij had het dak natuurlijk moeten maken toen hij de donkere wolken zag. Zijn vader zou het al af hebben gehad voordat de eerste druppel viel. Zijn vader…

Waar zou zijn vader zijn? Had hij het opgegeven? Misschien was hij zelf ook verdwaald, of opgegeten door de beer. Hoe lang zwierf Jasper nu al door het bos? Twee dagen? Het leek veel langer. En de laatste dag thuis in Elmira leek maanden geleden. Zou zijn vader zijn moeder gebeld hebben om haar te vertellen wat er was gebeurd? Waarschijnlijk niet. Dan zou ze maar ongerust worden. Jasper vond het een raar idee dat ze thuis was en haar gewone leven leidde, terwijl ze zich hoogstens een klein beetje zorgen maakte, maar niet wist dat hij echt in moeilijkheden was. Waarschijnlijk zat ze nu televisie te kijken, terwijl ze tegelijkertijd een kruiswoordpuzzel invulde met de verkeerde woorden. Ze was altijd aan het

53

proberen om meer moeilijke woorden te leren, zodat ze met andere mensen kon praten zonder dom te lijken. Maar Jasper had niet de indruk dat ze er veel mee opschoot. In gezelschappen sloeg ze toch altijd onmiddellijk dicht en liet het praten aan zijn vader over, die dat overigens prima scheen te vinden.

Jasper leek in dat opzicht op zijn moeder. Voor een kamer vol met mensen was hij bijna nog banger dan voor die beer. Dat was in ieder geval een voordeel van het bos. Je hoefde hier niet met mensen om te gaan. Jasper gaapte, trok zijn knieën tegen zijn koude, natte borst en wachtte op de ochtend.

Toen hij wakker werd, regende het niet meer, maar de lucht was nog net zo donker. Als de zon al opgekomen was, liet die zich in ieder geval niet zien. Jasper rilde, kroop uit zijn schuilplaats en trok zijn donsjack aan over zijn vochtige T-shirt. Toen hij opstond, merkte hij dat hij zich ellendig voelde. Zijn hoofd en zijn gewrichten deden pijn, zijn keel was ontstoken en hij was snipverkouden. Eerst wilde hij terugkruipen in zijn hol en daar blijven. Maar hij begreep dat hij steeds zieker en zwakker zou worden als hij niet opdroogde en iets te eten vond.

Zonder zon of vuur kon hij alleen opdrogen door te gaan lopen, en dat moest hij toch doen als hij eten wilde zoeken. Vreemd genoeg had hij moeite om zijn hol te verlaten. Hoewel het niet veel voorstelde, was het een soort huis voor hem geworden, en hij moest maar afwachten wat hij stroomafwaarts zou aantreffen. Maar als hij hier bleef, kon hij moeilijkheden krijgen met de beer. Bovendien kon hij niet op één plaats blijven wachten. Stel je voor dat er niemand kwam. Misschien vonden ze het niet de moeite waard om helikopters, vliegtuigen en een heleboel mensen erop uit te sturen om een onbelangrijk jongetje te zoeken. Tenslotte had nog nooit iemand hem de moeite waard gevonden. Waarom zou dat nu anders zijn? Misschien kon hij er beter van uitgaan dat zijn lot in zijn eigen beblaarde handen lag.

Hij knoopte zijn natte bloes rond de bijl en legde die over zijn schouder. Daarna liep hij zuchtend en snuivend stroomafwaarts langs de beek. Zijn natte broek schuurde langs zijn benen, zodat hij wijdbeens moest gaan lopen. Maar met zijn zere been ging het gelukkig beter. Hij kon het al een beetje buigen, zonder dat hij het gevoel had dat de wond weer openging.

Doordat de oever van de beek meestal vlak was, ging het lopen vrij gemakkelijk. Alleen moest hij af en toe een omweg maken rond een groep struiken die tot aan het water groeiden, of een zijbeekje oversteken dat uitkwam in de grote beek. Die zijbeekjes waren meestal smal genoeg om er overheen te stappen, en over de enige die daarvoor te breed was, lag een omgevallen boom die hij als brug kon gebruiken.

Nu en dan hoorde hij een geluid achter of naast zich, of aan de overkant van de beek. Hij ging voorzichtiger lopen en luisterde gespannen of hij gegrom of zware voetstappen hoorde. Maar toen het een paar minuten stil bleef, was hij gerustgesteld en liep op zijn gewone lawaaiige manier verder, terwijl hij luid snoof en de takken onder zijn voeten kraakten.

De ochtend kabbelde net zo kalmpjes voort als de beek. Er gebeurde niets bijzonders, behalve dat de zon zich uiteindelijk toch liet zien. Jasper liep telkens een stukje, nam even rust, en liep dan weer verder.

Toen de zon hoog aan de hemel stond, waren zijn kleren droog. Maar zijn keel was het helaas ook. Het was zo warm geworden dat hij zijn jack had uitgetrokken. Hij had gehoopt dat hij bosbessen zou vinden, maar die groeiden blijkbaar niet aan de oever van de beek. Hij zag een paar struiken met kleine, glimmende bessen waarvan een groepje spreeuwen aan het eten was. Maar toen hij er voorzichtig van proefde, maakte de bittere smaak hem meteen duidelijk dat deze bessen, die hij niet kende, voor mensen niet eetbaar waren.

Verder zag hij niets wat op voedsel leek, behalve een paar kleine visjes die rondzwommen in een stilstaande plas water, die door een zandbank van het door de regen gestegen water in de beek gescheiden werd. Als er kleine visjes waren, moesten er ook grotere zijn, dacht hij. Maar zelfs als hij een soort hengel kon maken, had hij nog geen vuur om de vissen die hij ving, te koken of te bakken. Hij had ergens gelezen dat de mensen in het Verre Oosten rauwe vis aten, maar die aten ook vogelnestjes.

Toen hij tegen het eind van de dag met zijn vermoeide benen over een klein zijbeekje stapte, zag hij iets dat hem deed stilstaan. In het laatste deel van het zijbeekje voor het in de grote beek uitkwam, groeiden helder groene planten. Jasper knielde op de vochtige grond en plukte een stengel af. Hij kende maar één plant die op die manier in beekjes groeide, en dat was waterkers. Aarzelend nam hij een blad in zijn mond en kauwde erop. Het had een scherpe, maar niet onaangename smaak. Toen hij zijn hand uitstak om nog een bosje te plukken, viel het hem op dat het water erg koud was. Zou het bronwater zijn? Hij propte zijn mond vol met waterkers, stond op en baande zich een weg door de struiken en planten.

Een paar meter verderop vond hij de bron van het zijstroompje. Onder aan de helling was een holte, waaruit water stroomde. „Kijk nou eens," zei Jasper hardop. Hij ging op zijn hurken zitten, nam een handje van het ijskoude water en proefde ervan. Door zijn ervaringen met het beekwater was hij een stuk voorzichtiger geworden. Het water was zo koud dat het helemaal geen smaak had. Het leek wel of het zijn mond verdoofde. Hij ging door met drinken. Als het inderdaad schoon water was en als de planten waterkers waren, had hij nu te drinken en te eten. Maar het was ook mogelijk dat hij straks hevige diarree en een dodelijke voedselvergiftiging had.

Toen hij zoveel gedronken had dat zijn gehemelte bevroren leek, liep hij terug naar de waterkers. Hij ging in het gras liggen en at zoveel hij kon.

Aan de hemel pakten zich weer donkere wolken samen. Als hij de komende nacht niet opnieuw kletsnat wilde worden, moest hij snel een schuilplaats maken. Omdat er hier geen grote berken stonden, begon hij takken van sparren te hakken. Toen hij dacht dat hij er meer dan genoeg had, hakte hij een jong boompje om, haalde de zijtakken eraf en zette het schuin tegen een grote boom. Daarna zette hij er aan beide kanten een heleboel sparrentakken tegenaan, zodat er een soort dak ontstond. Tegen de tijd dat hij alle takken had gebruikt, was het bijna donker. Haastig zocht hij op de helling genoeg mos bij elkaar om de bodem een beetje zachter te maken. Daarna gaf hij een spijtig klopje op het boek in zijn zak, dat hij nog steeds niet had gelezen, en kroop in zijn kleine hut.

Met een zucht van uitputting ging hij liggen, en hij was al bijna in slaap toen het hem te binnen schoot dat hij geen greppel rond zijn hut had gegraven. Hij aarzelde even omdat hij moest beslissen wat erger was: nu weer opstaan en aan het werk gaan, of later in een nat bed wakker worden. Ten slotte kroop hij toch maar naar buiten en begon met de achterkant van de bijl een ondiepe geul te trekken langs de zijkanten van zijn hut. Toen de geul ongeveer twee centimeter diep was, mompelde hij: „Zo is het wel goed," en gaf het op.

Ditmaal sliep hij bijna voordat hij goed en wel in zijn hut lag. Zelfs de kou en zijn verkoudheid konden hem die nacht niet uit zijn slaap houden.

Hoofdstuk 7

Kort voor zonsopgang werd Jasper wakker. Doordat hij boven zijn hoofd de driehoekige vorm van zijn hut zag, dacht hij even dat hij in de nylon tent lag. Had zijn vader hem eindelijk gevonden en, zonder dat hij wakker werd, naar het kamp gedragen? Hij stak een hand uit en voelde aan het donkere dak. Het prikte en daardoor begreep hij weer waar hij was.

Hij richtte zich een eindje op en leunde op een elleboog. Wat was dat voor geluid dat hij almaar hoorde? O ja, het gekabbel van de beek. Hij knikte en liet zich achterover zakken. Het was een geruststellend geluid en deed hem denken aan zachte stemmen die je in de kamer naast je hoort terwijl je zelf al in bed ligt. Maar er was nog een ander geluid, dat klonk alsof iemand de bladzijden van een boek langs zijn vinger liet gaan. Of als regen die op sparrentakken viel. Natuurlijk, dat was het. Het regende op het dak van zijn hut, en hij werd niet eens nat.

„Goed gedaan, Jasper!" zei hij met een grijns. Het leek erop dat hij eindelijk iets goed had gedaan. Of in ieder geval bijna, want nu viel er een grote druppel op zijn gezicht. Maar dat deed er niet toe. Zelfs al werden het twintig druppels. Het belangrijkste was dat hij min of meer droog bleef.

Hij lag een uur te luisteren naar het zachte getik van de regen op zijn dak. Het was een nog prettiger geluid dan het gekabbel van de beek. Hij was bijna teleurgesteld toen het ophield. Maar dat kwam toch wel goed uit. Zijn bed van mos begon erg hard en hobbelig aan te voelen. Bovendien was de zon intussen opgekomen. Als hij ooit de weg uit het bos wilde vinden, werd het tijd om verder te gaan. Hij glimlachte om zichzelf. Thuis lag hij nooit voor elven in bed en stond hij nooit voor halfacht op. In het weekend ging hij meestal pas slapen als de televisie was afgelopen, en kwam hij niet voor tienen zijn bed uit. Maar nu was hij waarschijnlijk zelfs eerder op dan zijn vader, waar die ook was.

Jasper kwam langzaam uit zijn hut tevoorschijn, krabde op zijn hoofd en gaapte. Het bos was donker en doornat. Het water van de beek dampte alsof het kokendheet was. Hij wilde dat het waar was en dat hij een theezakje had, en een paar eieren om te koken. Hij had er ook geen bezwaar tegen om zelf een paar uur in warm water te weken.

Maar het beste wat hij kon doen, was een paar handjes bronwater drinken, zijn gezicht wassen met het ijskoude water en wat waterkers eten. Hij was er nu vrij zeker van dat het water drinkbaar was en de waterkers eetbaar. Daarom was het verstandig om er zoveel mogelijk van mee te nemen. Hij wist dat hij een bruikbaar mandje kon maken, maar het zou niet meevallen om een emmer te maken voor het water.

Hij sneed twee vierkante stukken bast uit de grootste berk die hij kon vinden. Van het ene stuk maakte hij net zo'n mand als zijn bessenmandje. Maar de hoeken hield hij deze keer samen met takjes die hij in de lengte had gespleten en als haarspelden over de rand klemde.

Nadat hij een paar minuten naar het tweede stuk bast had gestaard, rolde hij het op tot een cilinder met een diameter van ongeveer zeven centimeter. Daarna kneep hij de onderkant samen en stak er een gespleten tak overheen. De gespleten uiteinden van deze 'haarspeld' bond hij met sterke grasstengels aan elkaar. Het zag er goed uit. Maar toen hij zijn 'emmer' in de bron dompelde en optilde, stroomde het water eruit. Hij had iets nodig om de kieren af

59

te sluiten. Wat gebruikten de indianen uit de boeken daar ook al weer voor? Hiawatha bijvoorbeeld. Hij had iets gebruikt om de kieren in zijn kano te dichten. Hars misschien? Jasper moest lang zoeken voordat hij ergens een den vond waaruit wat hars was gelopen. Hij schraapte het van de boom en duwde het in de naad aan de onderkant van zijn emmer. Het lukte hem om de kier vrij goed dicht te smeren. Maar zijn vingers kwamen natuurlijk ook helemaal onder te zitten. Toen hij terugging naar de bron en voor de tweede maal water opschepte met de emmer, lekte de bodem niet meer. Het water liep nu uit de zijkanten. Dus ging hij weer naar de boom, smeerde ook de zijkanten dicht en liep terug naar de bron. Ditmaal was de emmer zo goed als waterdicht. Nu had hij alleen nog een hengsel nodig. Daar moest hij maar eens over nadenken. Voorlopig vulde hij de emmer met water en het mandje met waterkers. Hij nam ze onder zijn armen, wierp een laatste tevreden blik op zijn geriefelijke hut en liep stroomafwaarts.

Hij had bijna geen last meer van zijn been. De eerste keer dat hij stopte om te rusten, maakte hij het verband los en deed het in een zak van zijn jack. Hoewel de snee nog een beetje rood en gezwollen was, leek hij goed te genezen. Het zou fijn zijn geweest als de scheur in zijn broek zich ook vanzelf herstelde. Hij bleef er telkens mee haken.

Met zijn verkoudheid ging het ook beter. Hij had nu vooral last van een zeurende hoofdpijn en een stijve nek. Maar alles bij elkaar voelde hij zich beter dan hij had verwacht. Hij was in ieder geval nog lang niet dood, hoewel zijn familie hem waarschijnlijk al had opgegeven. Als hij thuiskwam, kon hij misschien eerst wat rondsluipen en luisteren wat de mensen over hem zeiden, zonder zich meteen te laten zien, zoals Tom Sawyer en Huckleberry Finn hadden gedaan.

Toch wilde hij dat hij zijn moeder op de een of andere manier kon laten weten dat het goed met hem ging. Hij vond het geen prettig idee dat ze zich voortdurend zorgen maakte over hem. Maar misschien zou het niet meer zo lang duren. Stel dat hij acht tot tien kilometer per dag aflegde en dat het dertig tot veertig kilometer was naar het dichtstbijzijnde dorp. Dan zou hij hooguit vijf dagen hoeven te lopen en was hij al bijna op de helft. Het kon natuurlijk ook dat hij de verkeerde kant op liep en dat het in deze richting wel tachtig of honderd kilometer was naar het eerste dorp of huis. Maar vroeg of laat moest hij toch de bewoonde wereld bereiken, en als hij maar schoon drinkwater en een beetje eten kon vinden, zou hij het wel halen, dacht hij nu.

In de loop van de dag merkte Jasper dat de beek die hij volgde, dieper werd en langzamer begon te stromen. Het was nu eigenlijk een rivier geworden en de bedding bestond meer uit zand dan uit stenen. Af en toe stopte hij en ging een paar minuten op de oever zitten kijken of hij vissen zag zwemmen in het heldere water. Maar hij zag geen vissen die langer waren dan zijn vinger. Tijdens een pauze halverwege de middag ontdekte hij wel iets anders. Eerst dacht hij dat het stenen waren, die verspreid lagen over de bodem van de rivier, maar toen hij beter keek, zag hij dat ze allemaal dezelfde ovale vorm hadden. Hij werd nieuwsgierig en daarom zette hij zijn mandje en zijn emmer neer, trok zijn schoenen en sokken uit, en stapte in het koude water. Toen hij op een scherpe steen stapte, kromp hij even in elkaar, maar hij waadde toch verder.

Hij boog voorover en pakte een van de donkere voorwerpen. Het bewoog zich een beetje in zijn hand, zodat een spleet aan de zijkant dichtging. Jasper schrok even en liet het bijna vallen. Maar nu begreep hij wat het waren. „Zoetwatermosselen!" zei hij hardop. „Dat is boffen!"

Hij waadde naar de oever en ging zitten om zijn vondst te bekijken. Dit was eten, als hij de schelp open kon krijgen. Hij viste zijn mes-vork-lepelcombinatie uit zijn broekzak, klapte het mes uit en stak het tussen de twee helften van de schelp. Daarna probeerde hij de mossel open te wrikken. Maar net als Jasper vroeger bij de dokter weigerde de mossel zijn mond open te doen. Nou ja, Jasper kon ook koppig zijn. „Zeg eens aaa," gromde hij, terwijl hij meer kracht zette. Ten slotte gaf de mossel zich gewonnen en ging de schelp open. „Hm," zei Jasper. De inhoud van de schelp zag er niet erg eetbaar uit en leek helemaal niet op de gekookte mosselen die hij kende. Hij klapte zijn lepel uit en schepte de mossel voorzichtig uit de schelp. In zijn maag werd een strijd uitgevochten tussen misselijkheid en honger. Als hij een vuurtje en een pan had, zou hij de mossel kunnen koken. Maar dan kon hij net zo goed wensen dat hij er nog wat aardappelen, saus en peterselie bij had.

Hij kon de mossel rauw opeten, of niet. Dat was zijn enige keus. Hij verwijderde een paar van de engste delen, deed zijn ogen stijf dicht, opende zijn mond, liet de mossel naar binnen glijden en slikte. Ondanks de slijmerigheid van de mossel leek het even of die in zijn keel bleef steken. Maar uiteindelijk lukte het hem toch om de mossel naar binnen te krijgen.

Zoals met zoveel dingen was het de tweede keer al makkelijker. Toen hij een stuk of tien mosselen op had en ze als stenen in zijn maag lagen, verzamelde hij er nog een paar, die hij tussen de bosjes waterkers in zijn mandje legde. Het zag er bijna aantrekkelijk uit en deed hem denken aan een etalage van een delicatessenwinkel.

Terwijl hij het zand van zijn voeten zat te vegen, ontdekte hij een snee in de zool van zijn linkervoet. Die had hij natuurlijk opgelopen toen hij op die scherpe steen stapte. Het wondje prikte een beetje, maar het was niet ernstig. Hij trok zijn sokken en schoenen aan en ging weer op weg. Hij wilde nog een paar kilometer lopen voordat hij zich klaar ging maken voor de nacht. Maar met plannen gaat het vaak net als met beloften en regels: het is moeilijk om je eraan te houden. Hij had nog geen tien minuten gelopen toen hij op een hindernis stuitte. Tot nu toe had hij geluk gehad met het terrein. Hij had een paar maal een omweg moeten maken rond een groepje struiken of over een verzakte oever moeten klauteren, maar meestal was de bodem vlak en stevig geweest, zonder al te dichte begroeiing. Nu werd het dal opeens smaller, en de oever waarop hij liep, werd even steil als aan de overkant. Hij kon niet meer langs het water lopen en moest langs de helling omhoog klimmen. Hij kreeg een bang voorgevoel. Zolang hij bij de rivier bleef, kon hij niet verdwalen, of in ieder geval niet nog erger verdwaald raken dan hij al was. Maar als hij een grote omweg maakte, liep hij het risico dat hij de rivier niet meer kon terugvinden. Het leek onwaarschijnlijk, maar het had ook onwaarschijnlijk geleken dat hij zou verdwalen terwijl hij hout ging hakken.

Toen hij aan houthakken dacht, schrok hij zich wild. De bijl! Waar was de bijl? Hij had hem 's ochtends nog gebruikt om bast te snijden voor de mand en de emmer, en daarna… Daarna had hij hem tegen de berk laten staan in de buurt van de bron.

Hoofdstuk 8

Jasper voelde zich plotseling slap en ging in het gras zitten. Waarom had hij dat nou gedaan? Omdat hij altijd zulke domme dingen deed natuurlijk. En hij had nog wel gedacht dat hij de situatie meester was, omdat hij een primitief hutje had gebouwd.

Maar dat was zijn laatste hut geweest, want zonder bijl kon hij geen hutten bouwen. Hij zat gespannen voor zich uit te staren en trok doelloos plukjes gras uit de grond. Hij moest beslissen of hij wel of niet terug zou gaan. Als hij terugging, zou dat hem meer dan een dag kosten, zelfs als hij zich haastte. En als hij verderging zonder de bijl te halen, was hij overgeleverd aan weer en wind. Met een zucht keek hij langs de rivier stroomopwaarts, en daarna stroomafwaarts. „Iene miene mutte," begon hij af te tellen, terwijl hij afwisselend naar links en naar rechts wees. „Tien pond grutten, tien pond kaas, iene miene mutte is de baas." Stroomafwaarts. Het was een vreemde manier om tot een beslissing te komen, maar hij wist geen betere. Hij pakte zijn spullen en stond op. Misschien lag er aan de andere kant van de heuvel een dorp.

Hij keek nog even stroomopwaarts en liep toen langs de helling omhoog, weg van de rivier. Hoewel de dalwand hier nog niet zo steil was als verderop, was het een hele klim. Verscheidene malen gleed hij weg in de losse aarde of raakten er stenen los onder zijn voeten, zodat hij struikelde en water morste uit zijn emmer van berkenbast. Toen hij de top van de helling bereikte, had hij pijn in zijn been en was de helft van zijn watervoorraad uit de emmer verdwenen, al zat het grootste deel daarvan nu in zijn bloes en zijn broek.

Het lopen werd nu tenminste makkelijker. Groepjes reusachtige bomen, waaronder niets groeide behalve mos en varens, werden afgewisseld door zonnige open plekken, waar tientallen soorten grassen en wilde bloemen groeiden. Jasper zag ook verscheidene soorten paddestoelen, en kwam in de verleiding om van de mooiste te proeven. Maar hij had zoveel waarschuwingen tegen giftige paddestoelen gelezen dat hij het risico niet durfde te nemen.

Hij hield zoveel mogelijk de richting aan van de rivier, maar hij moest telkens omwegen maken rond hindernissen, zoals steile kloven en ondoordringbare bosjes van jonge naaldbomen, en een tijdlang verloor hij de rivier helemaal uit het oog. Toen hij eindelijk weer de goede kant op liep en op een heuveltop uitkwam, had hij een weids en verrassend uitzicht. Het dal werd opeens heel breed en de rivier was geen rivier meer, maar veranderde in een meer, of eigenlijk in een moeras, want er staken op allerlei plaatsen groepjes bomen en met gras begroeide heuveltjes uit het water. Aan de overkant van het meer zag Jasper iets wat op een beverdam leek. Dat kon de verklaring zijn voor de puntige, afgeknaagde boomstronken die hier en daar langs de oever stonden. Voorbij de beverdam ging de rivier weer verder en slingerde zich langzaam voort, tot hij in de verte tussen de bomen verdween. Er was nergens een weg, een elektriciteitsleiding of een ander spoor van bewoning te zien, tenzij je de beverdam meetelde.

Hij had ook niet verwacht dat hij hier al mensen zou vinden. Een weg of een huis zou trouwens niet in dit landschap passen. De natuur was hier zo ongerept en, moest Jasper toegeven, zo mooi dat het wel een schilderij leek. Hij bleef een paar minuten op de heuvel naar het groene gras, het zilverblauwe water en het oranjerode licht van de dalende zon staan kijken, tot hij zich realiseerde dat het niet lang meer licht zou blijven. Hij liep snel de helling af.

Het meer was vroeger waarschijnlijk groter geweest, want het bos reikte niet tot aan de rand van het meer. De laatste bomen stonden ongeveer tien meter van het water, waar de grond wat hoger was. Tussen de bomen en het water lag een soort wei van hoog gras. De groene halmen van dit jaar groeiden tussen de dorre, gele halmen van voorgaande jaren. Jasper liep langs de rand van het bos en probeerde een manier te bedenken om een hut te bouwen. Hij keek naar het dorre gras en kreeg een idee. Hij liep het bos in, terwijl hij zijn plan in gedachten verder uitwerkte. Er lag vrij veel dood hout en hij zocht twee omgevallen jonge boompjes uit. Nadat hij de droge zijtakken had afgebroken, sleepte hij de stammetjes naar de wei.

Daar brak hij een van de stammetjes in twee gelijke stukken van ongeveer anderhalve meter, die hij een eindje van elkaar schuin in de zachte bodem duwde, zodat de bovenkanten elkaar raakten. Daarna brak hij het andere stammetje af, zodat hij een paal van ruim drie meter overhield. Die zette hij met de ene kant in de grond, terwijl hij de andere kant op de gekruiste uiteinden van de andere palen legde. Nu had hij nog iets nodig om de drie palen aan elkaar te binden. Hij krabde zich op zijn hoofd, keek een tijdje om zich heen en ontdekte toen een paar klimplanten, die zich langs een boom in de buurt omhoog slingerden en hem bijna verstikten. Met enige moeite trok hij een van de lange ranken omlaag en wikkelde die rond de uiteinden van de drie palen, tot ze stevig aan elkaar vast zaten. Het geraamte van zijn hut was klaar. Nu moest hij iets voor de zijkanten bedenken. Hij liep naar de rand van het meer, waar dode, houtige stengels stonden van een hoge plant. Hij haalde een flinke hoeveelheid van deze stengels, die op rechte stokken leken, en zette ze schuin tegen de lange paal. Het zag er goed uit.

Daarna verzamelde hij een heleboel dor en droog gras. Een deel hiervan spreidde hij uit op de bodem van zijn hut, en de rest legde hij in horizontale bundels op de verticale houtige stengels. Maar hoe kon hij ervoor zorgen dat dit strodak op zijn plaats bleef? Op dit moment leek het hem het makkelijkst om dode takken op het gras te leggen. Als hij later een betere oplossing bedacht, kon hij het altijd nog veranderen.

Toen hij klaar was, was het bijna te donker om het resultaat van zijn werk te bekijken. Dat was misschien maar goed ook, want het was geen erg fraai bouwsel geworden. Maar hij had de hut zelf gemaakt, zonder gereedschap of aanwijzingen, en toen hij erin lag, vond hij het bijna gezellig. Het dak en de vloer roken een beetje muf, maar het was geen onaangename geur. En door de open kant van de hut had hij uitzicht over het meer. Het leek of het water het laatste daglicht vasthield en licht gaf.

Jasper zat een hele tijd naar het vlakke wateroppervlak te kijken, dat af en toe door een vis of de staart van een bever werd doorbroken. Hij at wat waterkers en een paar mosselen. Ze gingen erop vooruit in het donker, want zo kon hij ze opeten zonder ze te hoeven zien.

Hoewel hij doodop was van het vele lopen en het haastige bouwen van de hut, had hij geen zin om net als de vorige nachten meteen te gaan slapen. Na een tijdje kwam de maan op. Hij keek naar de weerspiegeling ervan in het meer en luisterde naar de roep van een eenzame vogel en het tsjirpende geluid van de krekels. Toen hij te moe was om zijn ogen open te houden, ging hij in het zachte, droge gras liggen.

Hoofdstuk 9

Het eerste waarvan hij zich de volgende ochtend bewust werd, was pijn. Behalve de gebruikelijke pijn in zijn gewrichten en spieren, had hij nu ook een knagend hongergevoel in zijn maag en een kloppende pijn in zijn linkervoet. Hij ging met een vertrokken gezicht overeind zitten, kneep zijn ogen samen voor het ochtendlicht en nam een slok bronwater om het hongergevoel te verminderen. Na die slok was het water op. De rest was blijkbaar in de loop van de nacht uit de emmer gelopen. Jasper keek in zijn etensmandje. De waterkers, die slap en slijmerig was geworden, en de mosselen, die halfopen waren gegaan, zagen er niet erg aantrekkelijk uit.

Hij schoof naar de ingang van de hut en trok zijn sok uit om naar zijn pijnlijke voet te kijken. De kleine, onschuldige snee die hij de vorige dag had opgelopen, was nu rood en gezwollen. Het deed ontzettende pijn als hij hem aanraakte. „Geweldig," kreunde hij. Met zo'n voet kon hij nauwelijks lopen. Hij zuchtte en keek uit over het meer. Misschien moest hij hier maar een tijdje blijven. Dit was de minst beboste streek die hij was tegengekomen, en daarom had hij hier de beste kans om vanuit de lucht te worden gezien, als ze tenminste nog naar hem zochten. Natuurlijk zochten ze nog. Natuurlijk. Maar waar bleven ze dan? Voor het eerst sinds een paar dagen raakte hij in paniek. Het leek wel of zijn maag zich omkeerde van angst. Het was erger dan de honger of de diarree. Hij kreeg het ijskoud en terwijl hij in het dorre gras ging liggen en zich zo klein mogelijk maakte, barstte hij in tranen uit.

Hij huilde tot hij niet meer kon en bleef daarna uitgeput liggen.

Hij voelde zich opgelucht, want de uitbarsting kwam door alle angsten en ellende van de afgelopen dagen. Maar hij schaamde zich ook. Zijn vader zou hem een slappeling hebben genoemd, als hij het had gezien. Maar dat was niet waar. Hij was geen slappeling. Hij had het helemaal niet slecht gedaan tot nu toe. Tenslotte leefde hij nog, en dat had hij niet aan zijn vader te danken. Waarom was hij nog niet gekomen? Waar was hij?

Jasper schudde zijn hoofd. Nee. Zo wilde hij niet meer denken. Hij moest zelf zijn problemen proberen op te lossen. Hij had eten en drinken nodig en moest een manier verzinnen om de aandacht te trekken van vliegtuigen die misschien zouden overvliegen. Toen hij een zacht geritsel hoorde in het gras buiten de hut, tilde Jasper voorzichtig zijn hoofd op, terwijl hij de rest van zijn lichaam niet bewoog. Minder dan drie meter van hem vandaan zat een konijn, dat nieuwsgierig naar hem keek en zijn neus bewoog om hem te ruiken. Het had waarschijnlijk nog nooit een mens gezien.

Jaspers glimlach verdween van zijn gezicht, toen het tot hem doordrong dat dit niet alleen een leuk beestje was, maar ook eten. Terwijl hij probeerde geen plotselinge bewegingen te maken, zocht hij met een hand voorzichtig onder het platgedrukte gras naar een steen. De afgelopen nacht had hij de indruk gekregen dat er een heleboel grote stenen onder hem lagen, maar nu duurde het lang tot hij er een vond. Hij groef hem uit met zijn vingertoppen, trok hem los en haalde hem langzaam naar zich toe. Plotseling sprong hij op en gooide de steen. Het konijn draaide zich razendsnel om en probeerde te vluchten. Maar tot Jaspers verbazing werd het dier door de steen in zijn zij geraakt en omvergeworpen. Het krabbelde wild om zich heen en probeerde overeind te komen, maar voordat het daarin slaagde, had Jasper zijn achterpoten te pakken. Het konijn gilde, spartelde en probeerde zelfs in zijn hand te bijten. Daar schrok hij zo van dat hij het bijna liet vallen.

69

Jasper keek radeloos om zich heen. Wat moest hij nou doen? De keel van het konijn doorsnijden? Of zijn strot omdraaien? Hij wilde een eind maken aan de zielige worsteling en smeekbeden van het dier en sloeg het met zijn kop tegen de grond. Het konijn werd stil en bewoog zich niet meer.

Even stond Jasper versuft naar het slappe lichaam in zijn handen te kijken. Het leek wel of hij degene was die met zijn hoofd tegen de grond was geslagen. Toen hij zag dat het konijn inderdaad dood was, hurkte hij en legde het voorzichtig in het gras. Dus zo voelde een jager zich. Hij begreep niet waarom mensen dan nog jaagden.

Hij probeerde zichzelf ervan te overtuigen dat het verkeerd was om zoveel spijt te hebben en zich zo verdrietig te voelen. Zo ging het nu eenmaal: sommige dieren stierven en daardoor konden andere blijven leven. Tenslotte had hij bijna zijn hele leven hamburgers gegeten, en die werden ook niet van zaagsel gemaakt. Maar dat was niet helemaal hetzelfde, want nu had hij het dier aangekeken en met zijn eigen handen gedood.

Jasper snikte en legde zijn hand op de zachte vacht van het konijn. Zijn vader zou hem vast een slappeling vinden, omdat hij zo'n drukte maakte over het doden van een dier, terwijl hij het vlees ervan nodig had.

Nu het konijn dood was, moest hij er ook iets mee doen. Anders zou het voor niets zijn gestorven, en dat zou nog erger zijn. Maar er waren twee grote problemen. Hij had er geen flauw idee van hoe hij het konijn moest villen, en hij had nog steeds geen vuur om het te braden. Terwijl hij met zijn hand in zijn zak aan de mes-vork-lepel-combinatie voelde, keek hij naar het dode dier. Misschien was het een goed idee om eerst een vuur te maken en het villen tot later uit te stellen. Ja, dat was het beste.

Opgelucht liep hij weg van het dode konijn en ging in de opening van de hut zitten. De sok die hij aan had, was kletsnat geworden van de dauw. Hij beet op zijn tanden en trok de andere sok voorzichtig over zijn ontstoken voet. Het aantrekken van de schoen was nog moeilijker, en hij kon geen manier vinden om te lopen zonder dat het pijn deed. Hij hinkte naar het bos en probeerde daarbij zowel zijn pijnlijke rechterknie als zijn ontstoken linkervoet te ontzien. Het enige gevolg was dat ze allebei meer pijn gingen doen.

Hij strompelde een paar maal heen en weer tussen de hut en het bos. Eerst verzamelde hij een flinke hoeveelheid droge berkenbast en dorre takjes om het vuur mee aan te maken, en daarna haalde hij een paar grotere takken om op het vuur te leggen als het eenmaal goed brandde. Het was natuurlijk de vraag of het ooit zover zou komen. Toen hij vond dat hij genoeg brandstof had, begon hij gras uit de grond te trekken om een plaats vrij te maken voor het vuur.

Pas toen hij even ging zitten om uit te rusten, realiseerde hij zich dat hij het konijn al een tijdje niet meer had gezien. Hij keek verbaasd om zich heen. Wat had hij ook al weer met het konijn gedaan? Hij zou gezworen hebben dat hij het voor de hut in het gras had laten liggen, maar misschien had hij het naar binnen gebracht. Hij keek in de hut, maar daar lagen alleen stinkende mosselen, verlepte waterkers en een lege emmer. Hij likte aan zijn droge lippen en doorzocht het gebied rond de hut.

Er was geen twijfel mogelijk. Het konijn was weg, al begreep hij niet hoe dat kon. Zou het door een vos of een ander roofdier meegenomen zijn, terwijl hij brandhout zocht? Of had het konijn zich misschien dood gehouden, en was het, zodra hij naar het bos ging, opgesprongen en weggerend? Hij had het tenslotte niet echt hard tegen de grond geslagen. Eigenlijk was hij wel blij dat het konijn weg was, al was zijn maag het daar niet mee eens. Hij betwijfelde of hij het had kunnen opbrengen om het dier te villen.

Nu had hij nog steeds niets te eten. Misschien kon hij een vis vangen. Hij had er gisteravond een paar zien springen in het meer.

Maar als het hem zou lukken om een vis te pakken te krijgen, had hij ook een vuur nodig. Daarom ging hij verder met de voorbereidingen daarvoor.

Nadat hij zoveel gras had uitgetrokken dat hij een kring kale grond had van ongeveer anderhalve meter breed, maakte hij in het midden een stapeltje van droge takjes en smalle repen bast.

Daarna haalde hij een van zijn brillenglazen tevoorschijn. De zon stond ditmaal hoog aan de hemel en scheen fel. Nadat hij even had gezocht naar de juiste positie voor het glas, lukte het hem om een felle lichtbundel op de takjes te richten. Vol enthousiasme wachtte hij op de eerste vlammetjes. Maar er ontstond zelfs geen rook. Hij fronste zijn wenkbrauwen en probeerde de lichtvlek nog kleiner en feller te maken. Hij wachtte. Maar er gebeurde niets. Wat deed hij verkeerd? Hij ging verzitten omdat zijn benen moe begonnen te worden, en veegde het zweet van zijn voorhoofd. Daarna probeerde hij het nog eens, maar zonder succes. Moest hij misschien iets anders gebruiken dan bast en takjes? Hij probeerde het met droog gras, met houtsplinters, met bruine dennennaalden en met oude, bruine bladeren, maar allemaal met hetzelfde resultaat, dat wil zeggen, zonder resultaat.

Lag het misschien aan de lens? De jongen in het boek had heel erg slechte ogen. Dus zijn lenzen waren dikker en bundelden het licht beter. Of had de schrijver het verzonnen, zonder te controleren of het werkte? Dat was niet eerlijk. Van een schrijver van een cowboyboek kon je niet verwachten dat hij zichzelf doodschoot om te kijken hoe dat voelde, en iemand die over een reis naar de sterren wilde schrijven, kon natuurlijk niet wachten tot hij zelf een kaartje kon kopen voor een tocht met een ruimteschip. Maar als je een boek over de werkelijkheid schreef, mocht je je held geen dingen laten doen die niet konden.

Jasper kreeg er genoeg van en stak het brillenglas in zijn zak. Hoe kon je verder nog een vuur maken? Door twee stokken tegen elkaar te wrijven? Of was dat ook een verzinsel? Met een vuursteen en staal? Hij wist ongeveer hoe vuursteen eruitzag, doordat hij pijlpunten had gezien in een museum. Maar het was de vraag of hij ook onbewerkte vuursteen kon herkennen.

Hij strompelde lange tijd rond en raapte dicht bij het water een paar stenen op die volgens hem op vuursteen leken, maar toen hij ermee tegen zijn dichtgevouwen mes sloeg, kreeg hij geen enkele keer een goede vonk. Teleurgesteld gooide hij ze een voor een in het meer.

Bij de laatste steen hoorde hij een dubbele plons, alsof er een echo was. Dat kon alleen een springende vis zijn. Er zat blijkbaar meer dan genoeg vis in het meer. En als ze al op een steen reageerden, moesten ze een worm wel helemaal onweerstaanbaar vinden. Hij moest alleen nog een manier bedenken om ze te bakken.

Jasper was duizelig van de honger. Denk nu eens goed na, zei hij tegen zichzelf, terwijl hij zich stevig over zijn hoofd wreef. Met een vergrootglas kon je een gat branden in een stuk hout. Dat wist hij zeker, want hij had het weleens gedaan in een zomerkamp. En hij wist ook dat een vergrootglas aan allebei de kanten bol is. Hij haalde zijn bril uit zijn zak en bekeek de glazen. Ze waren bol aan de buitenkant, en hol aan de binnenkant. Aarzelend drukte hij de twee holle kanten tegen elkaar en hield ze omhoog in de zon. De lichtbundel richtte hij op zijn hand. Een seconde later trok hij zijn hand snel weg. „Au!" riep hij, omdat hij zich had gebrand. Maar het betekende dat hij op het goede spoor was. Als hij de glazen nu eens aan elkaar lijmde en de ruimte ertussen met water vulde, zodat er een echte lens ontstond met twee bolle kanten… Ach welnee, dat lukte vast niet. Maar waarom zou hij het niet proberen? Hij had toch niets beters te doen, en de brillenglazen kon hij zo nergens voor gebruiken.

Hij pakte zijn mes-vork-lepelcombinatie, hield de stukken van de bril vlak voor zijn ogen, zodat hij kon zien wat hij deed, en schroefde zorgvuldig de poten eraf. Daarna stak hij de glazen in zijn zak en hinkte naar het bos om hars te zoeken.

Pas na ruim een uur vond hij dat hij genoeg had. Hij nam de hars mee op een stuk berkenbast en ging terug naar zijn hut. Toen hij onder een grote loofboom liep, voelde hij bij elke stap harde, ronde voorwerpen onder zijn voeten, die pijn deden aan zijn ontstoken voetzool. Hij stond stil en bukte. Tussen de oude bladeren van voorgaande jaren lagen kleine noten. Sommige zaten met een paar bij elkaar in een stekelige schil, en andere lagen los. Ze hadden min of meer de vorm van een piramide. Jasper zocht twee platte stenen, knielde op de grond en sloeg een van de noten stuk. De binnenkant was zwart en verschrompeld. Dat was een tegenvaller. Hij stond op en plukte een noot van de boom. Toen hij die openmaakte, zag hij een kleine, witachtige pit, die hij met zijn mes uit de dop haalde. Hij proefde aarzelend. De noot smaakte niet geweldig. Hij was een beetje bitter, maar niet echt vies. Jasper pakte een laaghangende tak vast, en toen hij er hard aan schudde, regende het noten op zijn hoofd.

Hij lachte en begon de noten zo snel mogelijk open te maken en naar binnen te werken. Toen hij bijna moest overgeven, dwong hij zichzelf om rustig te gaan zitten, langzamer te eten en goed te kauwen. En hij stopte toen hij zijn honger nog lang niet had gestild. Hij trok zijn bloes uit, legde een knoop in de mouwen en hinkte in het rond om deze geïmproviseerde zak met noten te vullen. Toen hij zoveel noten had verzameld als hij kon dragen, keek hij om zich heen en zocht iets waaraan hij de plaats kon herkennen. Hij zag een hoge, dode den, een opvallende kuil en een boomstronk die op een stoel leek. Met behulp daarvan zou hij de boom wel kunnen terugvinden. Hij pakte de noten en het stuk berkenbast met de hars, en

74

ging op weg naar de hut.

Toen hij fluitend uit het bos tegenover de hut tevoorschijn kwam, zag hij iets waardoor hij verbaasd bleef staan. Daarna verstopte hij zich snel achter een boom. Het leek wel of de hut bewoog!

Hoofdstuk 10

Jasper greep naar zijn hoofd. Begon hij door de honger dingen te zien die er niet waren? Voorzichtig keek hij rond de stam van de boom. Ja hoor, hij zag duidelijk dat de hut stond te schudden alsof er een aardbeving was. Maar het had een andere oorzaak. Uit de opening van de hut stak iets ronds. Het was zwart en harig. „Lieve help," zei Jasper zacht. Het was de beer. Hij was Jasper gevolgd.

Terwijl Jasper naar hem keek, kroop de beer achterwaarts uit de hut, die scheefgezakt was en eruitzag alsof hij elk ogenblik kon instorten. De beer had Jaspers mandje van berkenbast in zijn bek. Zo met zijn achterwerk hoog in de lucht en zijn voorpoten plat op de grond zag hij er eigenlijk nogal grappig uit. Hij gaf een paar maal een tik tegen het mandje, zoals een kat die met een muis speelt, en begon het daarna uit elkaar te trekken. Hij probeerde de mosselen te pakken te krijgen, die zo langzamerhand een behoorlijk sterke geur hadden gekregen. Waarschijnlijk was de beer daarop afgekomen.

Jasper begon bijna te lachen toen hij zag hoe de beer de mosselen met zijn grote klauwen probeerde open te maken. Hij keek heel geconcentreerd en stak na een tijdje zelfs zijn tong uit, als een kind dat met iets moeilijks bezig is.

Maar toen zag Jasper zichzelf in gedachten op de plaats van de mossel. Hij kroop weg achter de boom. Van welke kant kwam de wind? Kon de beer hem ruiken? Hij maakte zijn vinger nat en hield hem omhoog. Het leek wel of er helemaal geen wind was. Hij keek snel naar de takken boven zijn hoofd, om te zien of hij in de boom kon klimmen. Maar had hij niet ergens gelezen dat zwarte beren zelf heel goed konden klimmen?

Hij had een wapen nodig. Hoe had hij zo dom kunnen zijn om de bijl te vergeten? Hij hinkte zo stil mogelijk terug het bos in. Toen hij een geschikt boompje vond, begon hij het om te hakken met zijn mes. Bij elk geluid keek hij verschrikt op. Tegen de tijd dat hij het boompje eindelijk omver had, zweette hij ontzettend en was het mes flink gesleten. Het kostte hem evenveel tijd om de takken van het boompje af te halen en een punt te maken aan de dunne kant van de stok, zodat hij een soort speer kreeg. Hij tilde de speer boven zijn schouder en wierp hem naar een stuk mos een eindje verderop. De speer viel anderhalve meter voor het doel op de grond en bij de punt spatte er zand op. Jasper ging uitgeput op de grond zitten. Nou ja, hij was toch niet van plan om met de speer te gooien.

Maar wat was hij wel van plan? Ging hij naar de hut voor een strijd op leven en dood? Nee, beslist niet. Hij kon beter verder trekken en proberen de beer voor te blijven. Dat was geen slecht idee. Het probleem was dat hij bijna niet kon lopen.

Wat moest hij dan doen? Hier blijven en ergens anders een nieuwe hut bouwen? Dat had niet veel zin. Als de beer hem tot hier was gevolgd, zou hij er weinig moeite mee hebben om hem ergens anders te vinden. Jasper begreep eigenlijk niet waarom de beer hem achterna was gekomen. Misschien wilde hij geen indringers in zijn gebied. Of misschien was hij gewoon nieuwsgierig, bedacht Jasper opeens.

Maar hij kon geen risico nemen. Beren stonden erom bekend dat ze gevaarlijk waren, zelfs al jaagden ze niet op mensen. Hij had verscheidene malen gelezen dat ze toeristen hadden gedood in het Yellowstone National Park en andere natuurgebieden.

Volgens het 'Jungle-boek' konden beren en andere wilde dieren op afstand worden gehouden met vuur. Als hij vuur kon maken, zou dat de oplossing zijn voor veel van zijn problemen. Helaas was het makkelijker gezegd dan gedaan. In het 'Jungle-boek' had de hoofdpersoon gloeiende kolen meegenomen uit een vuur in een dorp. Maar als er een dorp in de buurt was, zou Jasper helemaal geen vuur nodig hebben.

Hij kon zijn idee van de dubbele lens nog proberen, al had hij daar eerlijk gezegd weinig vertrouwen in. Maar nu hij hier toch zat, kon hij net zo goed de twee helften van zijn bril op elkaar lijmen. Met een beetje geluk was de beer verdwenen tegen de tijd dat hij terugging naar de hut.

Het was niet eens zo moeilijk, want de hars plakte uitstekend. Het grootste probleem was dat hij zonder bril niet goed kon zien wat hij deed. Toen hij dacht dat hij de randen vrij goed had dichtgesmeerd, op een gaatje aan de bovenkant na, stond hij op. Hij pakte zijn speer en zijn bloes vol met noten, en liep terug naar de rand van het bos.

Tot zijn opluchting was er geen spoor van de beer te bekennen, behalve dan de sporen die hij had achtergelaten: het verscheurde mandje en een paar mosselschelpen die hij blijkbaar niet open had kunnen krijgen en daarom maar kapotgedrukt had.

Behoedzaam hinkte Jasper, met de speer voor zich uit, naar het meer om de dubbele lens te vullen. Tot zijn verbazing lukte het en liep het water er niet uit. Terug bij de hut smeerde hij het laatste gaatje dicht, droogde de buitenkant van de lens af met zijn T-shirt, en ging bij de stapel schors en takjes zitten. De zon stond nu lager aan de hemel, maar was nog warm genoeg om hem te laten zweten. Hij richtte de lichtvlek van de gebundelde zonnestralen op de droge schors. Bijna meteen kringelde er een dun rooksliertje omhoog.

Jasper veegde het zweet uit zijn ogen. Had hij dat goed gezien? Hij probeerde de beste positie voor de lens te vinden. Er gebeurde niets. Hoe kon dat nou? Hij verplaatste de lichtvlek een paar keer, en toen het licht op een stukje donkere dennenschors viel, ontstond

78

er weer een sliertje rook. Dat was logisch, want lichte dingen weer-
kaatsen licht en donkere dingen nemen het in zich op.

Waar rook is, is vuur. Maar waar was dat vuur dan? Jasper boog
zich voorover en blies op het smeulende stukje schors. Maar er ontstonden geen vlammen. Misschien had hij iets nodig dat sneller
ontbrandde, zoals benzine. Of papier. Maar waar kon hij dat vandaan halen? O ja, natuurlijk. Hij haalde zijn jack uit de scheefge-
zakte hut en pakte zijn boek. Eerst had hij het als wc-papier gebruikt en nu ging hij er zijn vuur mee aanmaken. Terwijl hij be-
rouwvol met zijn hoofd schudde, scheurde hij een stuk of vijf bladzijden uit het boek, maakte er proppen van en duwde ze onder de
rand van de stapel schors en takjes. Toen hij de lens op de zwarte
letters richtte, begon het papier sterk te roken, en toen hij er zacht
op blies, begon het te gloeien en vloog het in brand. Jasper liet de
lens vallen en voedde het vlammetje met droge bladeren en stukjes
schors. „Ga alsjeblieft niet uit," fluisterde hij verscheidene keren
als een soort bezwering. „Ga alsjeblieft niet uit." Hij brak een paar
stokken en zette ze als een piramide over het vuurtje. Eerst gebruikte hij kleine stokjes, en daarna grotere, te grote, want het vuur raakte verstikt en dreigde uit te gaan. Jasper dacht dat zijn hart stilstond.
Maar toen hij de grotere takken snel weer wegnam, herstelde het
vuur zich en klom langs de piramide van stokjes omhoog.

Pas toen het vuur het zo goed deed dat het bijna zijn wenkbrauwen verschroeide, ging Jasper verbaasd en dolblij achteruit. Op dat
moment zag hij de beer, die zwaaiend op zijn achterpoten aan de
rand van het meer stond en zijn kop op en neer bewoog alsof hij iets
probeerde te ruiken. Jasper richtte zich op zijn knieën op en keek,
als in een angstige droom, door de trillende lucht boven het vuur
naar het dier.

In een opwelling van zelfvertrouwen, die een gevolg was van het
succes van het vuur, begon Jasper opeens met zijn armen te zwaai-

en en riep hard en schel: „Hé!" Hij was een Mens, een Maker van Vuur. „Hé!" Bij de eerste schreeuw keek de beer in zijn richting, en bij de tweede draaide hij zich plotseling om, liet zich op vier poten vallen en ging er daarna soepel en bijna op zijn gemak vandoor. Hij stond nog eenmaal stil om rustig en nieuwsgierig achterom te kijken naar Jasper en verdween toen achter een heuvel in het dal.

Hoewel Jasper niets had om op het vuur te bakken of te koken, was hij er erg blij mee, want het was in elk geval een bron van warmte en geborgenheid in de koude nacht. Na een avondmaal van nootjes, die hij zonder water moest doorslikken, hinkte hij tot het donker rond om mos te verzamelen voor zijn bed. Dankzij dat mos en de warmte van het vuur sliep hij goed, hoewel hij nu wel erg veel dorst had. Hij stond alleen een keer midden in de nacht op om een grote dode tak op het smeulende vuur te leggen. Maar hij had beter in bed kunnen blijven.

Terwijl hij achteruit schuifelde en de zware tak achter zich aan sleepte, hoorde hij opeens gekraak onder zijn voet. Hij wist meteen wat het was. „O nee," jammerde hij. Hij bukte zich en raapte de gebroken brillenglazen op, die hij in zijn enthousiasme over de eerste vlammetjes zomaar ergens in het gras had gegooid. Hij bekeek de scherven in zijn hand en schudde verdrietig zijn hoofd. De Rare Schutter had weer eens toegeslagen.

Daarmee was het meteen afgelopen met de Mens als Maker van Vuur. Voortaan zou hij er net als de prehistorische mensen voor moeten zorgen dat zijn vuur nooit uitging.

De rest van de nacht sliep hij niet veel meer. Uit angst dat het vuur zou uitgaan, maakte hij het zo groot dat de hut op een oven begon te lijken. Hij zweette enorm en verloor daardoor veel vocht uit zijn lichaam, terwijl hij niets had om te drinken. Als hij toch even sliep, droomde hij dat de hut in brand stond of dat hij zich verslapen had en het vuur had laten uitgaan. Maar voor de verandering droomde hij nu eens niet over beren.

Hoofdstuk 11

De volgende ochtend ging hij zonder eerst iets te eten meteen brandhout verzamelen. Het kostte hem veel moeite, want hij begon zwak te worden van de honger en de dorst. In zijn oren hoorde hij aldoor een vaag gezoem. En het lopen ging ook nog moeizamer dan gisteren. De wond aan zijn knie genas snel, maar de ontsteking in zijn voet had zich uitgebreid. Vanuit een gezwollen, pijnlijk middelpunt liepen gevoelige rode lijntjes als de poten van een spin alle kanten op.

Al na twee tochten naar het bos en terug, waarbij hij reusachtige dode takken meesleepte, liet hij zich uitgeput en zwetend in het gras zakken. Dit had geen zin. Het vuur was belangrijk, maar als hij niet snel eten en water vond, werd hij een warme maaltijd voor de gieren.

Hij hield zijn hand boven zijn ogen en keek naar de hemel, niet om te zien of er gieren waren, maar op zoek naar regenwolken. Hij wist niet zeker of hij ze wel of niet wilde zien. Een flinke regenbui betekende drinkwater, maar zou waarschijnlijk ook zijn vuur doven. Nou ja, het maakte niet veel uit wat hij wilde, want er was nergens een wolk te bespeuren.

Met een zucht trok hij de zak met noten naar zich toe. Hij kraakte er een paar, terwijl hij over het meer uitkeek. Water genoeg, maar niets te drinken. Hij kauwde peinzend op de nootjes. Ze bleven in zijn droge keel steken en hij hoestte tot de tranen in zijn ogen sprongen. Dat bewees in elk geval dat hij nog niet volledig uitgedroogd was. Toch begon zijn dorst al zo erg te worden dat hij bijna bereid was het risico van een nieuwe diarree-aanval te nemen. Maar er moest nog een andere oplossing zijn. Hoe kon je water zuiveren? Door het te distilleren? Ja, maar alleen koken zou ook wel genoeg zijn, dacht hij. Als hij een pan had, was het probleem opgelost. Hij keek nadenkend naar het kapotte waterkersmandje. Zijn natuurkundeleraar had vorig jaar laten zien dat je water kon koken in een papieren bakje. Zou dat ook lukken met een bakje van berkenbast?

Hij liep nog een keer heen en weer naar het bos om hout te halen en nam meteen het stuk berkenbast en de hars mee, die hij daar de vorige dag had laten liggen. Het kostte hem maar een paar minuten om een vrij goed bakje te maken en het dicht te smeren. Hij was verbaasd over zijn eigen handigheid. Hij strompelde snel naar het meer om het bakje te vullen, en toen kon het twijfelachtige experiment beginnen.

Hij maakte een bedje van gloeiende kolen tussen twee flinke houtblokken en zette het bakje met water daarop. Eigenlijk verwachtte hij dat de bast bijna meteen zou omkrullen en in brand zou vliegen. Maar er gebeurde niets. Alleen viel er af en toe een druppel sissend in het vuur.

Jasper kauwde gespannen op een paar noten en wachtte. Hij schoof een nieuwe laag kolen onder het bakje. Hij stak zijn vinger in het water en knikte. Het was in ieder geval lauw geworden. Hij had weleens horen zeggen dat water nooit kookt als je ernaar kijkt, en ging daarom wat anders doen. Hij maakte een plek vrij in het midden van het vuur, legde daarop een handje noten waar de buitenste schil nog omheen zat, en bedekte ze met hete kolen. Het ergste wat er kon gebeuren, was dat het bakje zou verbranden. Of zou het water dan zijn vuur kunnen doven? Hij moest het toch maar in de gaten houden. Na een eeuwigheid begon het water tot zijn verbazing te koken. Hij schoof er nog meer kolen onder en hield het water ongeveer tien minuten aan de kook. De tijd berekende hij met behulp van de liedjesmethode (tweemaal 'Alle eendjes zwemmen in het water' = een minuut). Daarna tilde hij het bakje voorzichtig van het vuur, waarbij hij zijn jack als pannenlap gebruikte.

Het duurde weer een eeuwigheid totdat het water voldoende was afgekoeld om het te kunnen drinken. Om het sneller te laten afkoelen goot hij het heen en weer tussen het bakje en de emmer. Daarbij morste hij ongeveer een derde. Maar eindelijk kon hij toch voorzichtig een slokje nemen. Het was nog warm en zo bitter dat hij het bijna uitspuugde. Maar het was nat, en daar ging het om. Hij slikte het gretig, maar met enige moeite, door. Zijn experiment met het roosteren van de noten was ook een gedeeltelijk succes. De helft was verkoold en de andere helft was wel lekker, maar beslist niet voldoende om zijn honger te stillen. Nadat hij even had gerust en nog een paar slokken water had genomen, dwong hij zichzelf om erover na te denken hoe hij vissen kon vangen. Een hengel was natuurlijk geen probleem. Maar waar moest hij een lijn en een haakje vandaan halen?

Wat voor lijn had hij, die sterk genoeg was om een vis op te halen? Hij kon niets anders bedenken dan zijn schoenveters. Hij haalde zijn schouders op en begon ze uit zijn bergschoenen te halen. Aan elkaar geknoopt leverden ze een lijn op van ongeveer anderhalve meter.

Over het haakje moest hij langer nadenken. Hij probeerde er een uit te snijden uit hout, maar dat lukte niet. De punt brak telkens af. Ten slotte vond hij een stukje van een tak met een stompje van een afgebroken zijtak, dat hij scherp kon maken met zijn mes. Hij maakte een groef rond het bovenstuk van de 'haak', ontrafelde het uiteinde van zijn schoenveter en bond het stevig rond de groef.

Hij hield het resultaat van zijn werk omhoog om het te bekijken. Hijzelf zou er nooit in bijten, maar hij was dan ook geen vis. Met

83

een vette worm eraan zou het er een stuk beter uitzien. Hij hinkte naar een droge, beschaduwde plaats aan de rand van het meer en koos een jong, veerkrachtig boompje uit. Nadat hij het had afgesneden en de takken eraf had gehaald, bond hij de vislijn eraan vast. Nu had hij alleen nog aas nodig.

Met een platte, puntige steen stak hij een stuk gras weg en begon de zachte aarde eronder om te woelen. Hij had bijna meteen succes en vond vier of vijf dikke wormen. Hij ving er drie en vroeg zich even af wat hij ermee moest doen. Toen haalde hij zijn schouders op en deed ze voorzichtig in het borstzakje van zijn bloes.

Hij pakte zijn hengel, en nadat hij een goede plaats had gezocht om te vissen, deed hij een worm aan de haak. Hij liet de haak met het aas in het stille water zakken en ging zitten wachten.

„Oké, worm, doe je werk," zei hij.

Zijn vader zou gezegd hebben dat hij niet goed bij zijn hoofd was om midden op de dag te gaan vissen. Volgens hem verstopten de vissen zich overdag allemaal onder een boomstam of op een andere veilige plaats.

Maar Jasper had die plaats blijkbaar gevonden, of misschien hielden de vissen zich hier niet aan de regels van zijn vader, want na een paar minuten voelde hij een ruk aan het eind van zijn hengel. Hij trok hem omhoog en probeerde snel de lijn binnen te halen. Eerst was het moeilijk, maar toen werd de lijn plotseling slap en dreef naar hem toe.

Toen hij de natte lijn uit het water haalde, zag hij dat de haak eraf was getrokken. „Verdomme!" riep hij, terwijl hij de hengel op de grond gooide.

Opeens voelde hij iets slijmerigs in zijn nek. Hij schrok, maar toen hij het wegveegde, zodat het op de grond viel, zag hij dat het gewoon een van de wormen was. Hij raapte hem op en keek om zich heen of hij iets zag waarmee hij een nieuwe haak kon maken.

Een eindje verderop stond een doornstruik. Hij hinkte ernaartoe en zag dat er scherpe, kromme doorns aan zaten, die ruim een centimeter lang waren. Dat waren kant-en-klare haken. Terwijl hij een takje probeerde door te zagen zonder zich te prikken, zag hij tussen de bladeren door iets bewegen.

Hij liet de doornige tak los en keek om de hoek van de struik. Nog geen honderd meter verderop in het dal, bij de monding van de rivier, plaste de beer door het ondiepe water. Eerst dacht Jasper dat hij aan het spelen was, als een kind in een pierenbadje. Maar plotseling sloeg de beer met zijn poot in het water. Er spatte een heleboel water op, en er vloog ook iets zilverachtigs door de lucht, dat op de oever neerkwam. Het was een vis. De beer waadde naar de oever, sjokte naar de plaats waar de vis lag te spartelen, en zette er een grote poot op. Zonder erbij na te denken sprong Jasper van achter de struik tevoorschijn en riep: „Ik wil die vis!" De beer draaide langzaam zijn kop en keek naar hem. Hij stak zijn snuit naar voren, alsof hij net zo bijziend was als Jasper en hem scherp in beeld probeerde te krijgen.

„Ik heb honger!" riep Jasper met overslaande stem. „Ik wil die vis hebben! Ga weg!" De beer deed aarzelend een paar stappen achteruit. „Schiet op, ga weg!" riep Jasper wanhopig, terwijl hij met een arm zwaaide alsof hij vliegen wegjoeg. Het leek wel of de beer nu pas begreep wat dit vreemde wezen bedoelde, want hij draaide zich om en sjokte gehoorzaam het bos in.

Jasper liet zich in het gras vallen en ademde zwaar. Wat was hij dom geweest! De beer had net zo goed kunnen besluiten om hem aan te vallen, en wat had hij dan moeten doen? De dichtstbijzijnde grote boom waarin hij misschien veilig was geweest, stond meer dan vijftig meter verderop. En het vuur en de speer, waarvan hij ook niet zeker wist of hij de beer ermee van zich af kon houden, waren nog veel verder weg.

Maar zijn aanpak had gelukkig gewerkt, als de beer tenminste niet achter een boom stond te wachten tot hij de vis kwam halen, om hem dan te lijf te gaan. Voor de zekerheid ging Jasper eerst naar de hut om de speer te pakken, voordat hij zich in de buurt van de vis waagde.

Eerst dacht hij dat de vis door zijn gespartel het meer had weten te bereiken, maar nadat hij even had gezocht, vond hij hem ver van het water. De vis was bijna dood en even kreeg Jasper weer hetzelfde gevoel van spijt als toen hij het konijn gedood of verdoofd had, maar zijn honger won het. Hij pakte de vis bij zijn staart en liep er snel mee weg, voordat hij, of de beer, van gedachten kon veranderen.

Hij had zijn vader zo vaak vis zien schoonmaken, dat hij wel ongeveer wist hoe het moest. Maar hoe kon hij de vis bakken? Nadat hij even had nagedacht, legde hij een paar verse takken op de twee houtblokken die hij als steun had gebruikt bij het koken van het water. Hij schoof gloeiende kolen onder de takken en legde de vis erop. Het bleek een vrij goede methode te zijn om vis te bakken. Alleen brandden sommige delen van de vis aan, terwijl andere stukken bijna rauw bleven. Bovendien was de vis, die op een karper leek, nogal vet en er zaten erg veel graten in. Maar Jasper had geen klachten. Het was zijn eerste stevige maaltijd in vier dagen, of waren het er al vijf?

Terwijl hij op de vis kauwde, probeerde hij te berekenen hoe lang hij al alleen in het bos was. Hij kwam uit op zeven dagen. Was het echt al een hele week? Het leek minder.

Vanuit een ooghoek zag hij iets bewegen. Hij keek naar het meer. De beer waadde het water in om weer te gaan vissen. Jasper glimlachte. „Bedankt, jongen," riep hij zacht. Het leek wel of de beer reageerde. Hij keek met een ruk op, draaide zich om en rende met veel gespat naar de kant. Hij stak snel het grasland over en verdween tussen de bomen. Jasper keek verbijsterd toe en vroeg zich af of hij iets verkeerds had gezcgd.

Toen hoorde hij het geluid waarvoor de beer op de vlucht was geslagen. Het was een eentonig gebrom, dat leek op het zoemen van een reusachtig insect. Jaspers hart begon te bonzen. Een vliegtuig!

Hoofdstuk 12

Jasper hield een hand boven zijn ogen en zocht koortsachtig de hemel af. Toen het vliegtuig in zicht kwam boven de boomtoppen een heel eind verderop in het dal, liet hij de vis vallen en sprong overeind. Hij kreunde even toen hij met zijn volle gewicht op zijn ontstoken voet ging staan. Maar hij lette er verder niet op en begon wild met zijn armen te zwaaien. „Hé!" schreeuwde hij, hoewel hij wist dat ze hem beslist niet konden horen.

„Hier! Hier ben ik!"

Het vliegtuig volgde niet de lengterichting van het dal, maar stak het dwars over en zou zo niet eens over Jasper heen vliegen.

„Kijk nou!" riep Jasper. „Ik ben hier!" Hoe kon hij de aandacht trekken van de piloot? Met een rooksignaal! Hij hinkte in het rond en gooide al het hout dat hij zag liggen, op het vuur. Het begon te roken, maar het ging ook bijna uit. Jasper aarzelde. Wat was belangrijker: het rooksignaal of het vuur? Ten slotte trok hij het meeste hout weer van het vuur, liet zich op zijn knieën vallen en blies op de kolen. „Alsjeblieft, ga nou branden!" smeekte hij. Langzaam ontstonden er hier en daar weer wat vlammetjes. Toen hij ervan overtuigd was dat het vuur niet zou uitgaan, richtte hij zich op en keek naar de hemel. Het vliegtuig was nergens te bekennen. Hij zat doodstil en luisterde. Heel in de verte hoorde hij het geronk wegsterven.

Hij zuchtte moedeloos en ging naast het vuur in het gras zitten. Hij had zich erop moeten voorbereiden. Hij had een stapel verse takjes klaar moeten leggen, die hij meteen op het vuur kon gooien.

Waarom bedacht hij zulke dingen altijd pas achteraf? Zijn vader zou natuurlijk een enorme hoeveelheid keurig opgestapelde verse takken klaar hebben gehad, en Kevin ook.

Nou ja, het betekende in ieder geval dat ze hem blijkbaar nog niet helemaal waren vergeten. Ze zouden waarschijnlijk vliegtuigen blijven sturen tot een ervan hem ontdekte. En hij zou ervoor zorgen dat ze hem zouden ontdekken. Het was nu te laat op de dag, maar morgenochtend zou hij meteen vers hout gaan verzamelen.

Hij raapte zijn vis op, spoelde met een beetje gekookt water het zand eraf en at hem op. Ondertussen luisterde hij of het vliegtuig misschien terugkwam. Maar hij hoorde alleen de krekels en de kikkers die zich klaarmaakten voor hun avondconcert, en af en toe een plons van een vis die boven het vlakke water uit sprong. En hij zag alleen een bever die langzaam rondzwom in de buurt van de dam, en een paar witte vogels die in kringen vlogen en ten slotte landden in het gras aan de overkant van het meer. De nacht was koud en hij stond tweemaal op om voor het vuur te zorgen. Hij wist nu dat hij geen reusachtig vuur moest maken. Het was beter om maar een paar takken op het vuur te leggen, zodat het net bleef branden. Ondanks deze twee onderbrekingen sliep hij goed, en hij had geen bijzondere dromen.

Hij werd vroeg wakker. Het meer was in mist gehuld en bijna onzichtbaar. Zonder uit zijn hut te kruipen strekte Jasper een arm uit en legde wat vochtig hout op het vuur. Daarna wachtte hij tot het begon te branden, zodat hij zich aan het vuur kon warmen. Toen hij zijn bergschoenen zonder veters probeerde aan te trekken, deed zijn linkervoet zoveel pijn dat de tranen hem bijna in de ogen sprongen. Hij trok voorzichtig zijn sok uit en zag dat de ontsteking nog erger was geworden. De rode lijnen rond de gezwollen plek hadden zich uitgebreid. Het kleine sneetje was een ernstige wond geworden. Misschien was het wel een bloedvergiftiging of tetanus.

Maar wat kon hij eraan doen? Hij herinnerde zich dat hij eens een film had gezien waarin een man gangreen had gekregen in een voet en die door zijn vrouw met een bijl had laten afhakken. Jasper huiverde. Dat zou hij nooit doen, zelfs al had hij de bijl nog.

Hij moest zijn voet maar zoveel mogelijk rust geven. Het was toch een sombere dag. Hij besloot in de hut te blijven liggen en wat te lezen. Als hij het boek vlak voor zijn ogen hield, kon hij vrij goed zien wat er stond. Hij vond het trouwens ook leuk om zomaar wat te liggen en naar het mistige water en de dieren te kijken.

Een paar dagen geleden had hij zich nog afgevraagd hoe het kwam dat er zo weinig dieren waren in deze streek. Maar als je stilzat en even wachtte, kwamen ze vanzelf tevoorschijn. Hij zag eekhoorns die tjilpten als vogels, schildpadden die traag en onverstoorbaar hun gang gingen, konijnen die af en toe renden en dan weer onbeweeglijk stilzaten, en een dikke muskusrat die zich een weg baande door het hoge gras.

Het was eigenlijk zo gek nog niet om hier een tijdje te zijn. Je moest alleen wat meer eten en beter water hebben. En het kon ook geen kwaad als je een paar boeken bij je had, of een radio. Een radio. Het leek wel of er een wekker ging in zijn hoofd. „O, nee," kreunde hij. Hij had nog iets stoms gedaan, iets heel stoms. Hij wist het zeker.

In zijn gedachten was het weer een week geleden, toen hij zich in de jeep zat te vervelen en de radio aanzette. Hij had de Franstalige zender gevonden en daarna nog wat aan de knop gedraaid. En toen zijn vader hem riep, had hij het volume laag gezet. Maar hij had de radio niet uitgezet.

Nu begreep hij ook waarom hij de eerste dagen niets van een zoekactie had gemerkt. Behalve zijn vader had niemand geweten dat hij verdwaald was. De accu van de auto was natuurlijk leeggeraakt, zodat zijn vader naar het kantoor van de boswachter had moeten lopen. Dat was een flinke wandeling en hij had er waarschijnlijk een hele dag over gedaan, of misschien wel twee dagen. En toen hij eindelijk met helpers bij het kamp terugkwam, was Jasper al ver weg van de plaats waar hij was verdwaald. O, wat dom van hem. Als hij daar gewoon was blijven wachten, hadden ze hem makkelijk kunnen vinden.

Maar dan was hij waarschijnlijk doodgegaan van de dorst en de kou. Hij had de situatie nu vrij goed onder controle. Als ze hem eindelijk zouden vinden, zouden ze begrijpen dat hij af en toe weleens iets doms deed, maar als het erop aankwam, voor zichzelf kon zorgen. Al was dat op dit moment misschien niet aan hem te zien. Zijn kleren waren gescheurd, zijn haar zat in de war en hij was ook vrij vies. Maar daar kon hij wat aan doen. Hij had toch lang genoeg gerust.

Nadat hij een handje noten op het vuur had geworpen om ze te roosteren voor de lunch, ging hij iets zoeken waarvan hij een naald kon maken. Hij zag de graten van de vis liggen en pakte een lange, dunne graat met een scherpe punt. Met veel moeite boorde hij met behulp van zijn mes-vork-lepelcombinatie een gaatje in het dikke eind van de graat. Daarna trok hij een draad uit de gerafelde onderkant van zijn bloes. Hij stak de draad door het oog van de naald en begon de scheur in zijn broekspijp dicht te naaien. Het ging niet erg snel, en toen hij eindelijk klaar was, zag de broek eruit alsof hij hem in het pikdonker had gerepareerd. Maar zijn knie, die nu bijna genezen was, kwam in ieder geval niet meer door het gat naar buiten.

Nadat hij had gegeten, gooide hij wat hout op het vuur en hinkte op één voet naar het water. Hij kleedde zich uit en gaf zichzelf en zijn kleren een grondige wasbeurt. Hoewel het water de kleur van slappe thee had, leek het vrij schoon. De donkere kleur werd waarschijnlijk veroorzaakt door de bladeren en de takken die door de rivier werden meegevoerd naar het meer.

Jasper spreidde zijn natte kleren over de doornstruik uit om ze te laten drogen en sneed meteen een flinke doorn van de struik om als vishaak te gebruiken. Nadat hij een worm had gevangen, ging hij op een platte steen bij het water zitten, met zijn pijnlijke voet op een pol gras. Hij boorde net als bij de naald een gaatje in het takje van de doorn en bond de schoenveter-vislijn daaraan vast. Ditmaal bleef de haak goed aan de lijn zitten en hij ving een soort baars, die ongeveer even lang was als zijn voet. Met tegenzin sloeg hij de vis met een steen op zijn kop. Daarna legde hij hem achter zich in het gras en deed een nieuwe worm aan de haak. Maar de vis die hij had gevangen, was blijkbaar een wees geweest, of dommer dan zijn familie, want er werd niet meer naar het aas gebeten.

Jasper legde zijn hengel neer. De zon was achter de wolken verdwenen, en omdat hij het koud kreeg, trok hij zijn kleren aan, hoewel ze nog niet helemaal droog waren. Hij keek naar zijn magere vangst. Er moest een betere manier zijn om vissen te vangen, als je het niet 'voor de sport' deed, maar om te eten. Met een net vissen leek hem moeilijk. Een fuik zou handig zijn, maar hij kon geen manier bedenken om er een te maken. Eigenlijk had de beer een goede oplossing gevonden, door de vissen naar een ondiep gedeelte te jagen en ze dan te pakken. Misschien kon hij de methode van de beer nog verbeteren en met stenen een soort trechtervormige val maken, zodat de vissen de uitgang niet meer konden vinden nadat ze erin gezwommen waren. Zodra hij beter kon lopen, ging hij het proberen.

Voorlopig moest hij genoegen nemen met het bakken van de vis die hij had. De vis had minder graten en was lekkerder dan de vis die hij van de beer had afgepakt, en hij was bijna groot genoeg om zijn honger te stillen. Maar Jasper had heus nog wel een plaatsje over gehad voor een pannenkoek met stroop.

De lucht was al de hele dag bewolkt, maar begon er nu echt drei-
gend uit te zien. Over de kale, dode bomen aan de overkant van het
meer kwamen inktzwarte wolken opzetten. Zo te zien kon hij een
gietbui verwachten. Hij moest er maar voor zorgen dat hij op alles
voorbereid was. Jasper grijnsde. Dat zei zijn vader ook altijd. Het
was eigenlijk jammer dat hij er nu niet bij was. Jasper kroop op
handen en voeten over de grond en groef met een platte steen een
ondiepe geul rond de hut. Het was vermoeiend werk en toen hij
klaar was, had hij weer honger. Bovendien was hij zo moe dat hij
zin had om in zijn hut te kruipen en te gaan slapen. Maar hij moest
nog wat aan het dak doen. Na het bezoek van de beer had hij het geraamte van de hut gerepareerd, maar aan de dakbedekking had hij
niets meer gedaan, omdat het zulk mooi weer was.

Daarom moest hij nu snel plukken dood gras verzamelen om de
gaten in het dak, waardoor hij van binnenuit de hemel kon zien,
dicht te stoppen. Toen hij daarmee klaar was, was hij volledig uitgeput. Maar voordat hij ging slapen, moest hij nog een oplossing
bedenken voor het vuur. Hij had genoeg hout voor de hele nacht,
maar hij moest het op de een of andere manier droog zien te houden. En hoe kon hij voorkomen dat het vuur zou uitgaan als het
echt hard begon te regenen? Dat was erg belangrijk, want hij kon
het vuur niet meer aansteken. Als hij nu eens een afdak bouwde boven het vuur? Dat leek een raar idee, maar als hij het afdak hoog genoeg maakte, zodat het niet in brand vloog, zou het kunnen werken.

Hij zuchtte, hees zich moeizaam overeind en hinkte tegen de heuvel op naar het bos. Toen hij terugkwam, sleepte hij een paar dode
boompjes achter zich aan. Daarmee bouwde hij een nogal wankel
afdakje boven het vuur, dat hij afdekte met stokken waarop hij bundels groen gras en levende planten legde, om de kans dat het afdak
in brand zou vliegen zo klein mogelijk te maken. Ten slotte legde
hij er een tweede laag stokken overheen, en toen was hij klaar. Dat

was maar goed ook, want hij kon bijna niet meer op zijn benen staan en hij voelde al de eerste, koude regendruppels. Jasper legde de helft van het brandhout in de hut en kroop er zelf bij. Dat hele overlevingsgedoe was knap vermoeiend, vond hij. Toch voelde hij behalve zijn vermoeidheid ook een soort diepe tevredenheid.

Pas toen hij zijn donsjack opschudde om het als hoofdkussen te gebruiken en daarbij iets hards en vierkants voelde, realiseerde hij zich dat er weer een hele dag voorbij was gegaan zonder dat hij zelfs maar aan het boek had gedacht. En nu was het te donker om te lezen. Hij was er trouwens ook te moe voor.

Wat had hij die dag eigenlijk gedaan? Thuis verveelde hij zich vaak, maar hier had hij zich afwisselend uitgeput, enthousiast en moedeloos gevoeld, zonder zich een ogenblik te vervelen. Misschien kwam het doordat er thuis weinig van hem werd verwacht, en als hij een enkele keer uit zichzelf iets deed, ging het altijd verkeerd. Er was altijd wel iemand die het beter kon. Maar als er hier iets gedaan moest worden, moest hij het zelf doen, want anders gebeurde het helemaal niet. En er was niemand die zei dat hij het goed of fout deed. Het werkte of het werkte niet. Of, zoals de bergbewoners vroeger zeiden, soms at jij de beer, en soms at de beer jou. Jasper glimlachte toen hij aan de bessen, de vissen en de mosselen dacht. Het kwam ook weleens voor dat de beer en jij hetzelfde aten.

Hoofdstuk 13

Het duurde nog vrij lang tot de bui Jasper bereikte, maar toen was het dan ook goed raak. Jasper was te moe om erop te wachten. Hij viel in slaap en werd in het donker gewekt door een oorverdovende donderslag vlak in de buurt. Hij ging met een ruk rechtop zitten en stak bijna zijn hoofd door het dak. Het was een lawaai alsof de hemel naar beneden kwam. Hij draaide zich om in de hut, zodat hij met zijn hoofd bij de ingang kwam te liggen. Met het vuur ging het tot nu toe goed, hoewel er af en toe windvlagen waren die er regen overheen bliezen. Er woei ook regen in Jaspers gezicht. Hij schoof het bakje waarin hij water had gekookt, naar buiten, zodat het een beetje regenwater zou opvangen. Daarna kroop hij zo ver mogelijk in de hut.

Thuis keek hij altijd graag vanuit het raam van zijn kamer naar de regen, maar daar was hij eigenlijk een toeschouwer. Hier voelde hij zich er veel meer bij betrokken, als een wild dier dat in zijn hol of onder een boomstam gekropen is en blij is dat het niet nat wordt. Tot nu toe was hij zich thuis nauwelijks bewust geweest van het dak boven zijn hoofd. Hij besteedde trouwens helemaal weinig aandacht aan zijn omgeving. De buitenlucht was iets waar je doorheen moest om in een ander droog en verwarmd gebouw te komen. Soms ging er een hele dag voorbij zonder dat hij wist wat voor weer het was. Het maakte toch niet veel uit. Maar voor zijn vader was het weer erg belangrijk, omdat het bepaalde hoe hard ze aan een huis konden werken, zeker zolang het dak er nog niet op zat. Zijn vader ging altijd tekeer over de kou, de sneeuw en de regen, alsof ze zijn persoonlijke vijand waren. Hij bouwde zijn huizen als een militaire bevelhebber die snel een fort moet laten aanleggen. Toch beweerde hij dat hij van de natuur hield. Maar zijn jacht- en vistochten kon je ook als veldslagen in zijn oorlog tegen de natuur beschouwen. Als hij terugkwam van een tocht, maakte hij altijd eerst het aantal slachtoffers bekend.

Het bleef de hele nacht regenen. Jasper stond een paar maal op om voor het vuur te zorgen en lag dan telkens even naar het hypnotische ritme van de regen te luisteren, dat nu en dan aangevuld werd door het sissen van druppels in het vuur of door het gerommel van een donderslag in de verte. Af en toe vond een waterdruppel een weg door het dak, maar hij had er niet echt last van. Het waren er net genoeg om hem eraan te herinneren hoe nat hij zou zijn geworden als hij geen hut had gehad.

Het noodweer duurde tot de middag van de volgende dag. Daardoor had Jasper eindelijk weer de gelegenheid om in 'Heer van de vliegen' te lezen. Vreemd genoeg werd hij na twintig of dertig bladzijden onrustig. Hij had een beetje genoeg van het boek. Zijn gedachten dwaalden voortdurend af. Waar ging een beer naartoe als het regende? Eigenlijk moest hij nog eens beter rondkijken in de omgeving. Misschien waren er wilde aardbeien of bessen… Wat was de beste val om vissen te vangen?

Hij pakte een stukje houtskool uit de as van het vuur en begon vissenvallen te tekenen op de lege laatste bladzijde van het boek. Toen het eindelijk wat minder hard begon te regenen en er een bleek en waterig zonnetje tevoorschijn kwam, kroop Jasper naar buiten. De lucht voelde koel en schoon aan, alsof hij de aftershave van zijn vader op zijn gezicht had gedaan. Hij moest allereerst hout gaan halen, zodat het naast het vuur kon drogen. Hij rolde zijn broekspijpen op en had al een paar stappen door het natte gras gedaan, toen hij een steek voelde in zijn voet. Hij was de ontsteking bijna vergeten. Hij tilde zijn linkerbeen op, trok de schoen uit en onderzocht de voetzool. De wond zag er veel beter uit. Zijn voet was nog erg dik, maar de rode lijnen begonnen te verdwijnen. De gedwongen rust had hem goed gedaan. Toen hij even later langs een andere weg dan normaal met een grote tak terugliep naar de hut, deed hij nog een prettige ontdekking. Hij zag een groepje planten die op uien leken, en toen hij er een paar uit de grond trok, bleken er inderdaad bollen aan te zitten. Hij veegde er een schoon en nam voorzichtig een hapje. Ja hoor, het waren uien. Hij bracht het brandhout naar zijn kamp en liep daarna terug om nog meer uien te halen. Toen hij zich voorover boog om een paar uien uit de grond te trekken, zag hij een eindje verder in het gras iets glinsteren. Omdat hij niets kende in de natuur dat zo glinsterde, liep hij er nieuwsgierig naartoe. Pas toen hij er vlak bij was, herkende hij het voorwerp, dat hij hier totaal niet had verwacht. Hij raapte het vol afkeer op. Het was een bierblikje. Er was hier al eerder iemand geweest, waarschijnlijk om te kamperen en te jagen en te vissen. Het zou zelfs zijn vader geweest kunnen zijn, lang geleden.

„Verdomme," zei Jasper. Hij kneep in het blikje, zodat de zijkanten indeukten, en haalde met zijn arm naar achteren uit om het blikje zo ver mogelijk weg te gooien, het liefst naar de maan. Toen onderbrak hij zijn beweging en staarde naar het blikje. Wacht eens even. Wat deed hij nu? Dit was niet zomaar een bierblikje. Hij kon het als beker gebruiken, of als pan. Het was wel teleurstellend om het hier te vinden, terwijl hij dacht dat hij zich in de wildernis bevond, maar nu het er toch was, kon hij het net zo goed gebruiken. Hij probeerde tenslotte niet te bewijzen dat hij een natuurmens was of zo. Hij probeerde in leven te blijven. Maar hij had het gevoel gehad dat hij eindelijk eens iets helemaal alleen deed, en als hij het blikje gebruikte, liet hij zich als het ware toch weer door iemand helpen.

Aan de andere kant, als je er goed over nadacht, werd je eigenlijk altijd door anderen geholpen. De bijl, zijn mes en de kleren die hij aan had, groeiden ook niet aan de bomen. Bovendien had hij hulp gehad van de beer, die een vis voor hem had gevangen. Je zou zelfs kunnen zeggen dat hij gebruikmaakte van de vissen. Waarom zou hij dan geen gebruikmaken van een rondslingerend bierblikje?

Hij nam het blikje en een handvol uien mee naar het kamp, en nadat hij met zijn mes zorgvuldig de bovenkant uit het blikje had gesneden en de zijkanten had uitgedeukt, gebruikte hij het om een soort soep te maken van uien en de overblijfselen van de vis van gisteren, die al niet helemaal fris meer roken. Het werd geen gerecht voor fijnproevers, maar het was te eten.

De volgende dag merkte hij dat hij bijna normaal kon lopen. Hij haalde eerst wat groene takken, die hij naast het vuur legde om een rooksignaal te kunnen maken. Daarna probeerde hij een vis te vangen voor de lunch, maar dat lukte niet. Daarom at hij een waterige uiensoep en zijn laatste noten. Nadat hij even had gerust, terwijl hij in zijn boek las en zijn door de dauw nat geworden schoenen liet drogen bij het vuur, ging hij op weg om rond het meer te lopen. Het duurde langer dan hij had gedacht, doordat de grond voorbij de beverdam moerassig was, zodat hij een omweg moest maken.

Maar het was de moeite waard. In een gebied met veel struiken aan de andere kant van het meer, vond hij een veenbessenstruik en een knoestige boom met een paar wilde pruimen eraan, waarvan hij de meeste meteen opat. Terwijl hij zich stond af te vragen of hij de bessen in zijn bloes zou meenemen of terug zou gaan om zijn bakje van berkenbast te halen, hoorde hij in de verte een zacht geronk waardoor zijn hart opeens sneller ging kloppen. Hij hield zijn adem in en luisterde. Een vliegtuig! „Waarom komt hij nu net terwijl ik hier ben," jammerde hij, terwijl hij rond het meer begon te rennen. Zijn schoenen zonder veters klosten.

Hij had geen schijn van kans. Hij wist dat hij het niet zou halen. Tijdens het rennen probeerde hij telkens naar de lucht te kijken, en daardoor zag hij niet dat hij in drassige grond stapte. Hij zonk met één been tot zijn knie weg en moest stoppen om zijn schoen uit de modder te vissen. Terwijl hij daarmee bezig was, merkte hij dat het geluid van het vliegtuig niet luider werd. Hij hield een hand boven zijn ogen en zocht de hemel af. Ten slotte ontdekte hij het vliegtuig aan de overkant van het dal. Het vloog van hem weg.

„Ik hoop dat je neerstort," mompelde hij, terwijl hij het vliegtuig nakeek. Hij maakte zijn schoen schoon door ermee door de rivier te waden, en slofte naar het kamp. Nadat hij even had geaarzeld of hij bij het vuur zou blijven voor het geval het vliegtuig zou terugkomen, pakte hij het bakje van berkenbast en liep terug langs het meer. Van de veenbessen wist hij tenminste zeker dat ze er waren.

De volgende dagen ging het steeds beter met zijn voet. Hij maakte nog meer tochten om de omgeving te verkennen, maar hij ging niet erg ver van het kamp, omdat het vliegtuig zou kunnen komen en omdat hij bang was dat hij weer zou verdwalen. Op bijna elke tocht vond hij iets nieuws om te eten: een ander soort noten, een open plek met bosaardbeien, of een paar flinke stuifzwammen. Hij herinnerde zich dat zijn vader hem eens een paar stuifzwammen had aangewezen en gezegd had dat je die kon eten. Maar omdat hij zo vaak over giftige paddestoelen had horen praten, was hij erg voorzichtig. Hij nam een klein hapje en pas toen hij een dag later nog niet ziek was geworden, was hij ervan overtuigd dat ze eetbaar waren. Ze bleken zelfs lekker te zijn, als je ze met stukjes vis en wilde uien klaarmaakte.

Hij was met stenen aan het sjouwen om in een ondiep deel van het meer een vissenval te maken, toen het vliegtuig terugkwam. Deze keer vloog het in de lengterichting van het dal naar hem toe. Hij liet de steen die hij in zijn handen had vallen en rende over het gras naar de hut.

Omdat het dal op sommige plaatsen vrij smal was, vloog het vliegtuig hoog. De piloot zou hem waarschijnlijk niet zien, ook al zou hij staan wuiven en springen, en zijn hut leek vanuit de lucht ongetwijfeld op een heuveltje met dood gras. Als hij wilde dat de piloot hem opmerkte, moest hij een rooksignaal maken. Hij legde snel droog hout op het vuur om het beter te laten branden. Toen de vlammen hoog oplaaiden, zag hij de schaduw van het vliegtuig, die langzaam over de bodem van het dal kroop en de beverdam al bijna had bereikt. Jasper pakte een paar van de groene takken die hij had klaargelegd, en hield ze in zijn armen. Hij keek omhoog en volgde het vliegtuig met zijn ogen. Het leek wel een vertraagde opname. De schaduw golfde rustig over de beverdam en daarna over het oppervlak van het meer. Jasper hield het verse hout klaar boven het vuur.

Het onafgebroken gedreun van de vliegtuigmotor klonk als een bromvlieg die rond zijn hoofd cirkelde. Hij fronste zijn wenkbrauwen en schudde even met zijn hoofd, alsof hij de vlieg wilde verjagen. Toen hij weer opkeek, was het vliegtuig recht boven hem. Maar hij liet de takken niet los. Hij hield ze in zijn armen, terwijl de schaduw van het vliegtuig tegen de dalwand opklom, over de toppen van de bomen scheerde en achter de heuvel dook. Even later verdween het vliegtuig uit zicht, en ten slotte kon Jasper ook het eentonige geronk van de motor niet meer horen.

Hoofdstuk 14

De volgende dagen kwam het vliegtuig niet meer terug. Ze waren blijkbaar gestopt met de zoekactie, of ze zochten nu ergens anders of op een andere manier. Jasper dacht er niet te veel over na, want als hij dat deed, moest hij aan zijn moeder denken. Zij was de enige die hem misschien zou missen. Maar het was niet de eerste keer dat hij bij haar weg was. Als hij naar zomerkamp ging, was hij langer weg dan nu, behalve vorig jaar, toen hij last had gekregen van zijn amandelen en een week eerder naar huis moest.

Dat was, afgezien van zijn moeder, het enige waarover hij zich zorgen maakte: als hij echt ziek werd, was er geen dokter in de buurt. Maar zijn knie en zijn voet waren bijna genezen en hij voelde zich uitstekend. Als hij 's ochtends wakker werd, had hij wel een stijve nek en pijn in zijn rug, maar dat kwam door zijn bed en ging na een tijdje vanzelf over. Hij had geen moment dat vage, algemene gevoel van lusteloosheid waarvan hij thuis vaak last had en dat zijn moeder in haar briefjes voor school meestal 'een griepje' noemde.

Hij was zelfs een deel van zijn overtollige vet kwijtgeraakt, waarover zijn vader altijd vervelende opmerkingen maakte. Toen hij zijn broek een keer had gewassen en zonder riem aantrok, zakte hij zomaar over zijn heupen, terwijl hij vroeger ook zonder riem nogal strak zat. Soms had Jasper zelfs de bovenste knoop open moeten laten.

Toch had hij niet voortdurend honger, zoals in het begin. Zijn maag was waarschijnlijk gekrompen of misschien werd hij beter in het zoeken van voedsel, of het kwam door een combinatie hiervan.

Na een paar mislukkingen had hij ontdekt hoe hij vissen in de val kon jagen. Met zijn schoenen aan om zijn voeten te beschermen, waadde hij zo ver mogelijk het meer in en daarna liep hij met veel gespat en lawaai over de modderige bodem naar de trechtervormige val die hij met rijen stenen had gemaakt. Meestal dreef hij op die manier minstens vijf of zes vissen van verschillende grootte voor zich uit, die de trechter in zwommen en daarna door een smalle opening in een ondiepe poel terechtkwamen, waar Jasper ze net als de beer kon vangen. De vissen die hij niet meteen opat, rookte hij boven het vuur, nadat hij ze had schoongemaakt en in repen had gesneden.

Tijdens een van deze vispartijen kreeg hij plotseling het gevoel dat hij niet alleen was. Hij keek op en speurde de omgeving af. Eerst zag hij niets, behalve een bever die op de dam zat te zonnen. Maar toen hoorde hij een zacht, snuffelend geluid. Hij draaide zich snel om en schrok.

Aan de rand van het bos stond de beer, die rustig naar hem keek. Jasper was even verlamd van angst. Hij had de beer nog nooit van zo dichtbij gezien. Tot zijn verbazing zag hij dat het dier lang niet zo groot was als hij had gedacht. Het was eigenlijk niet veel groter dan Jasper zelf, maar alleen wat dikker en veel hariger. Jasper wist niet goed wat hij moest doen. Hij waadde langzaam een paar passen achteruit en ging daarna met een grote boog naar de oever voorbij de doornstruik. Het leek wel of de beer niet eens naar hem keek en alleen aandacht had voor de vissenval. Toen Jasper zich in zijn kamp had teruggetrokken, wierp de beer één blik op hem en sjokte toen naar de rand van het meer. Hij zag de vissen in Jaspers val, waadde het water in en zette kalm een grote poot op een van de vissen. Nadat hij de vis in zijn bek had genomen, ging hij terug naar de oever en verdween op zijn gemak tussen de bomen. Jasper lachte verbaasd en schudde met zijn hoofd. „Okee," riep hij de beer na.

„Eerlijk is eerlijk."

Jammer genoeg beperkte de beer zich niet tot bezoekjes aan de ondiepe poel waar Jasper vissen ving. Toen Jasper een paar dagen later na een tocht om noten te zoeken naar het kamp terugkwam, was het rek waarop hij vissen droogde, omgetrokken en leeggeroofd. En zijn bessenmandje was kapot en helemaal leeg. „Dit gaat te ver," zei hij luid en boos, voor het geval de beer hem kon horen. Hij had erop gerekend dat dieren bang waren voor het vuur, maar het was blijkbaar te klein of misschien was de beer er gewoon aan gewend geraakt.

Daarna groef Jasper een kuil om zijn eten in te bewaren, en als hij het kamp voor langere tijd verliet, legde hij een grote steen over de kuil. Hierdoor kon de beer het eten blijkbaar niet vinden, of misschien wist hij niet hoe hij het te pakken kon krijgen. In ieder geval raakte Jasper geen eten meer kwijt aan de beer.

Hoewel Jaspers manier van leven eenvoudig en overzichtelijk was geworden, was er altijd wel iets te doen. Als hij niet bezig was voedsel te zoeken, probeerde hij nieuwe ideeën uit. Hij besteedde een paar dagen aan een poging om potten te bakken. Hij haalde klei aan de oever van de rivier, viste de steentjes eruit en maakte een soort ruwe pot. Maar toen de pot droogde, kwamen er reusachtige barsten in. Een andere keer was hij een hele dag bezig een mandje te vlechten van plantenstengels, maar de volgende dag waren de stengels uitgedroogd en gekrompen, zodat er grote gaten in het mandje zaten. Natuurlijk moest hij ook veel brandhout zoeken, want de nachten begonnen nu echt koud te worden.

Overdag was het meestal helder en zonnig, maar de zon stond duidelijk lager aan de hemel dan een paar weken geleden. De schaduwen waren langer en leken minder scherp. Het was nog maar zelden warm genoeg om zonder bloes rond te lopen, en hij had niet vaak zin om zich te wassen in het koude meer.

Na een bijzonder heldere en frisse dag was het 's nachts nog kouder dan anders, en toen hij de volgende morgen opstond, lag er een dun laagje rijp op het gras. Het smolt meteen toen de zon opkwam, maar het had zijn werk al gedaan. Groepen groene planten werden ineens bruin en hier en daar op de hellingen werden esdoorns van de ene dag op de andere helderrood.

De pruimen en bessen werden overrijp en verschrompelden of vielen op de grond. Jasper moest ander eten zoeken. Hij probeerde alles waarvan hij ooit had gehoord dat het eetbaar was, en ook een paar dingen waarvan hij dat nooit had gehoord, maar die er eetbaar uitzagen, zoals paardebloemen, melkdistels, weegbree, graszaad, schildpadden, kikkers, rozenbottels en wilde appels. Hij dacht erover om een strik te maken van zijn schoenveters of van iets anders, maar toen hij terugdacht aan het konijn dat hij in het begin had gevangen, zag hij ervan af. Zoveel honger had hij nog niet. Vissen, schildpadden en kikkers waren natuurlijk ook levende wezens en hij vond het niet prettig om ze dood te maken. Maar hij had het gevoel dat hij ergens een grens moest trekken. Anders kon hij helemaal niets eten, want ook planten leefden.

Meestal lukte het hem om genoeg te eten te vinden en redelijk warm te blijven, hoewel het verzamelen van voedsel en brandhout soms een groot deel van de dag kostte. Maar hij had tenminste geen tijd om zich te vervelen. Toen hij 'Heer van de vliegen' uit had, miste hij wel een boek om te lezen in de prettige, dromerige periode tussen het avondeten en het slapengaan. Maar die duurde toch niet lang, want hij was meestal zo moe van het vele werk en de zwerftochten op zoek naar voedsel dat zelfs het spannendste boek dat ooit geschreven is, hem niet wakker had kunnen houden. Meestal viel hij in slaap terwijl hij naar de zonsondergang keek. Hij wist niet meer hoeveel dagen hij al 'verdwaald' was. De dagen gingen zo vloeiend in elkaar over dat hij ze niet meer telde. Wat deed het er ook toe? Hij had geen afspraken die hij moest nakomen, en er bestonden voor hem geen werkdagen en weekends. Maar hij begreep dat het al september was en dat de school weer was begonnen.

Toen hij daar voor het eerst aan dacht, voelde hij zich een beetje schuldig, alsof hij aan het spijbelen was en straf zou krijgen. Hij maakte zich zelfs even zorgen dat hij iets belangrijks zou missen en dat later misschien niet meer zou kunnen inhalen. Aan de andere kant had hij op school nooit de indruk gekregen dat er iets erg belangrijks gebeurde.

Het kwam eigenlijk geen moment bij hem op dat hij misschien nooit meer zou terugkeren. Ergens in zijn achterhoofd bleef hij vaag van plan om, als hij niet werd gevonden, zijn oorspronkelijke plan uit te voeren en de rivier te volgen tot hij bij de bewoonde wereld uitkwam. Hij had alleen geen haast.

Voorlopig had hij het hier naar zijn zin. Hij had alles wat hij nodig had, behalve misschien goed water. En zelfs dat vond hij een tijdje later.

Op een warme en heiige middag ging hij op een van zijn ontdekkingstochten verder dan anders. Hij volgde de heuvels langs de rivier. Terwijl hij stroomafwaarts liep, werd de grond steiler en rotsachtiger, en op ongeveer anderhalve kilometer van het kamp veranderde de helling in een loodrechte rotswand, die op sommige plaatsen bijna tien meter uitstak boven de vlakke oever van de rivier. Toen hij boven aan de rotswand bleef staan om van het uitzicht te genieten, hoorde Jasper beneden zich een zacht, druppelend geluid. Hij kroop op zijn buik naar de rand en keek naar beneden. Drie meter onder hem kwam er een klein stroompje water uit de rotsen, dat meteen weer verdween in een weelderige begroeiing van mossen, varens en andere planten. Het stroompje was niet sterk genoeg om een bedding naar de rivier uit te slijten, maar werd blijkbaar in zijn geheel door de grond opgezogen.

Jasper zocht met zijn ogen de rotswand af en ontdekte een kloof die een soort steil pad vormde naar de onderkant van de rotsen. Hij daalde half klimmend en half glijdend af, tot hij weer op vlakke grond stond. Het bronnetje was onzichtbaar tussen alle planten. Maar toen hij naar voren liep en de struiken opzij duwde, zag hij een dun straaltje water dat langs de rotswand naar beneden stroomde.

Hij hield zijn hand eronder en dronk de paar druppels die hij had opgevangen. Het water was koud en smaakloos. Hij ging zitten en leunde peinzend met zijn kin op zijn hand. Het was duidelijk dat hij zo niet veel water kon opvangen. Hij had een soort kom of bak nodig waarin het water onder aan de rotswand werd verzameld. Misschien was het al voldoende als hij een kuil maakte en die met klei uit de rivier bekleedde.

Nadat hij een klomp van het 'krachtvoer' had gegeten dat hij had uitgevonden (door elkaar gestampte geroosterde noten, gedroogde bessen en gerookte vis), begon hij met een platte steen de natte grond weg te graven. Hij vocht een tijdje met de modder en besloot toen eerst het stroompje met behulp van stenen tijdelijk om te leiden, zodat hij verder kon gaan met zijn kuil zonder drijfnat te worden.

Twee of drie weken geleden zou hij na vijf minuten werken telkens tien minuten rust nodig hebben gehad. Maar nu stopte hij alleen even om op adem te komen en het zweet van zijn voorhoofd te vegen. Verder groef hij onafgebroken door tot de kuil ruim een halve meter breed en bijna veertig centimeter diep was. Hij kwam met een diepe zucht overeind en deed een paar stappen achteruit om het resultaat van zijn werk te bekijken.

„Heb je iets gevonden?" vroeg een stem achter hem. Jasper draaide zich met een ruk om. Zijn ogen gingen wijdopen en zijn hart begon te bonzen.

Hoofdstuk 15

„Het spijt me als ik je liet schrikken, jongen," zei een van de twee mannen die een paar meter van Jasper vandaan stonden. Ze waren ongeveer hetzelfde gekleed, in een werkbroek, een flanellen overhemd, een fel oranje jack en een rode jachtpet. En ze hadden allebei een jachtgeweer bij zich. De een droeg het onder zijn arm en de ander had het nonchalant op zijn schouder gelegd. Jasper zag dat ze hem net zo grondig bekeken als hij hen. De kleinste van de twee krabde aan zijn ongeschoren kin en vroeg: „Wat zoek je? Wormen?"

Het kostte Jasper moeite om iets terug te zeggen. „Nee," zei hij ten slotte zacht. Hij wilde het liefst wegrennen, maar hij had het vreemde, angstige gevoel dat ze dan op hem zouden schieten, omdat ze nu eenmaal jagers waren.

„Ben je hier helemaal alleen?" vroeg de ander, een lange, magere man met rood haar. „Waar is je familie?"

„Ik… ze…" Jasper slikte. „Een eindje stroomopwaarts."

„Zijn ze aan het vissen?"

„Uh… nee. Alleen… aan het kamperen."

„Wat denk je," zei de kleinste met een grijns, „zouden we een kopje koffie van ze kunnen krijgen? We zijn een heel eind van ons kamp."

„Nee! Ik bedoel… we hebben geen koffie bij ons."

De twee jagers keken elkaar vragend aan en keken daarna weer naar Jasper. „Wat is er, jongen?" vroeg de langste. „Je doet nogal raar. Heb je problemen?"

„Nee."

De man trok zijn wenkbrauwen op. Hij was blijkbaar niet overtuigd. „Weet je wat, we lopen met je mee naar jullie kamp. Oké?"

Er was niets aan te doen. Hij had gezegd dat het kamp stroomopwaarts was. Dus kon hij nu niet een andere kant op gaan. Hij begon langzaam en met tegenzin de oever van de rivier te volgen, en de jagers kwamen als een soort dreigende gewapende bewakers achter hem aan.

Ze liepen een tijdlang zwijgend verder. Hun voeten maakten een ruisend geluid in het hoge gras. Na een tijdje draaide Jasper zich half om. Hij keek naar de geweren die ze over hun schouder hadden gehangen, en vroeg op een nogal argwanende toon: „Waarop jaagt u eigenlijk?"

De kleinste gaf een klap op de kolf van zijn geweer en grijnsde. „Op beren," zei hij.

Veel eerder dan Jasper had verwacht, kwam de beverdam in zicht. Jasper liep zo langzaam mogelijk, maar het duurde niet lang tot ze rond het eind van het meer waren gelopen en zijn kamp aan de rand van het bos konden zien.

In de paar weken die hij daar had doorgebracht, was hij zo aan zijn kamp gewend geraakt dat hij er niet meer over nadacht hoe het eruitzag, zoals hij zich thuis ook nooit afvroeg wat voor indruk het huis maakte. Hij kon er leven, en daar ging het om. Maar nu zag hij zijn kamp opeens met andere ogen, alsof hij er voor het eerst kwam, zoals de twee jagers. Het stelde eigenlijk niet veel voor. Was hij daarom zo tevreden geweest? Er stond een scheef hutje, dat op een slordige stapel stokken en gras leek. Voor het hutje was een stuk grond waar het gras platgetrapt was en waar takjes en stukken schors lagen. Uit een hoopje as en verkoold hout steeg een dun sliertje rook op.

109

Eromheen lagen een paar moeilijk herkenbare voorwerpen van bast en klei. Er stond een wankel rek van takken naast het vuur en op de grond lag een schild van een schildpad. Dat was alles.

Jasper stond stil. Hij schaamde zich en wilde niet dat de jagers zijn spullen bekeken en vragen stelden. Misschien zouden ze hem wel uitlachen om de manier waarop hij zich in de wildernis had proberen te handhaven.

„Is dit het?" vroeg de kleinste man ongelovig. „Is dit jullie kamp?"

Jasper knikte bijna onmerkbaar. Hij was niet in staat iets te zeggen.

De lange man keek om zich heen. „Waar is de rest van je familie?" Toen Jasper geen antwoord gaf, legde de man een hand op zijn schouder en draaide hem naar zich toe, zodat ze elkaar aankeken. „Zeg, vertel eens, wat is hier aan de hand? Weten je ouders waar je bent? Ben je van huis weggelopen?"

„Nee!"

„Wat dan? Ben je verdwaald?"

Jasper haalde zijn schouders op. Het had nu weinig zin meer om hier te blijven. Zelfs als de mannen het goed vonden, zou het heel anders zijn dan het geweest was. „Ja," zei hij zacht.

„Waarom heb je dat niet meteen gezegd? Hoe lang ben je al verdwaald?"

„Ik weet het niet. Sinds de laatste week van augustus."

De kleinste man floot. „Meer dan drie weken. En zonder geweer of andere spullen? Hoe heb je al die tijd in vredesnaam gegeten?"

Jasper haalde weer zijn schouders op. „O, van alles. Neemt u me mee terug?"

„Natuurlijk, jongen. Ons kamp is een paar kilometer stroomafwaarts. We zullen je naar het kantoor van de boswachter brengen. Ik wed dat ze je uitgebreid hebben gezocht." Hij keek naar het vuur.

„Je had rooksignalen moeten geven."

„Stil nou, Larry," zei de lange man. „Hij is nog maar een kind. Je kunt niet verwachten dat hij overal aan denkt. Hij mag blij zijn dat hij nog leeft." De lange jager gaf Jasper een klap op zijn schouder. „Laten we dat vuur trouwens maar doven, voor we weg gaan."

„Ik doe het wel," zei Larry, en voordat Jasper kon protesteren, duwde hij de kolen uit elkaar en strooide er zorgvuldig zand overheen, alsof hij aarde wierp op een graf.

„Is er nog iets wat je wilt meenemen?" vroeg de lange man.

Jasper staarde even verdrietig naar zijn kamp en keek toen langzaam om zich heen, om het hele landschap in zich op te nemen: de groene heuvels die nu gouden en rode vlekken vertoonden en weerspiegeld werden in het water, het hoge gras langs de oever, en de dode bomen die als een rij grimmige standbeelden aan de overkant van het meer stonden. Hij hoopte half dat hij nog even een dier zou zien, een bever die rondzwom bij de dam, of een witte vogel die tussen de planten neerstreek, maar het leek wel of alle levende wezens zich hadden verborgen voor de indringers. Misschien was dat maar goed ook. Hij wilde niet dat de twee jagers hier op een dier zouden schieten. Toch vond hij het niet prettig dat hij zo opeens moest vertrekken, zonder dat iets of iemand hem zag weggaan. Maar misschien was er ergens verderop in het dal, aan de rand van het bos, verborgen in de schaduw van de bomen, wel een harige, zwarte gedaante die nieuwsgierig toekeek terwijl Jasper en de twee mannen zich omdraaiden en stroomafwaarts liepen.

„Ik vroeg of je niets wilde meenemen."

Jasper schudde langzaam zijn hoofd. Hij kon toch niet zeggen dat hij het allemaal wilde meenemen? „Nee," zei hij. „Niets."

Toen ze bij het eind van het meer kwamen, ter hoogte van de beverdam, draaide hij zich, op een moment dat de mannen niet keken, snel nog even om. Hij wuifde eenmaal met zijn arm om afscheid te nemen.

Hoofdstuk 16

Het kamp van de jagers zag eruit alsof het in een reclamespot voor kampeerspullen moest worden gebruikt. Jasper zag een onberispelijk gespannen koepeltent, strak opgerolde slaapzakken, een blinkende benzinebrander, een kampeerlamp en aluminium pannen en bestek. Toen hij op het klaptafeltje naast de brander zelfs een opvouwbare beker ontdekte, moest hij even in zichzelf lachen. Het was duidelijk dat de jagers niet van halve maatregelen hielden. Als ze in de wildernis gingen kamperen, deden ze dat zoals het hoort. Hun vervoermiddel was al even indrukwekkend: een splinternieuwe terreinwagen met vierwielaandrijving. Zoals hij daar stond op een smal pad midden in de wildernis, deed hij Jasper denken aan het soort advertenties waarin ze een auto boven op een berg afbeelden. Hij leek hier gewoon niet op zijn plaats.

Maar toen ze over het hobbelige bospad terugreden naar de bewoonde wereld, moest Jasper toegeven dat de terreinwagen comfortabel was. Hij durfde de schone, gladde bekleding van de stoelen bijna niet aan te raken. Hij begreep opeens dat hij er erg vies en onverzorgd uitzag, met zijn verwarde haar en zijn gekreukte en gescheurde kleren.

De jagers stelden hem allerlei vragen, maar zijn antwoorden waren meestal niet langer dan een of twee woorden. Na een tijdje gaven ze het op en begonnen met elkaar te praten over hun jachtplannen voor de volgende dag. Jasper leunde tegen de deur en moest af en toe vechten tegen de verleiding om snel de deur open te gooien en uit de auto te springen. Hij voelde zich een gevangen dier.

Na een paar kilometer kwam het bospad uit op een halfverharde weg. Ze gingen harder rijden en lieten grote stofwolken achter. Toch duurde het nog vrij lang tot ze het kantoor van de boswachter bereikten. Het was een ouderwetse blokhut van donker geverfde boomstammen, maar binnen was het even schoon en modern als het huis van Jaspers ouders. Zelfs de boswachter die hen begroette, zag er keurig uit. Ook hij zou niet misstaan in een advertentie voor kampeerspullen. „Wat kan ik voor u doen, heren?" vroeg hij.

Jasper was zo dicht mogelijk bij de ingang blijven staan, maar de lange jager legde een arm rond zijn schouders en duwde hem naar voren. „Dit hebben we in het bos gevonden, en het leek ons het beste om het maar hierheen te brengen."

De boswachter fronste zijn wenkbrauwen, kwam langzaam achter zijn bureau vandaan en bukte een beetje om Jasper recht in zijn gezicht te kunnen kijken. „Hoe heet je, jongen?"

„Jasper."

De boswachter zette grote ogen op. „Jasper Martin?" Jasper knikte met tegenzin. De boswachter ging rechtop staan en krabde zich op zijn hoofd. „Wel allemachtig." Hij keek om en riep over zijn schouder: „Hé, Willis! Kom eens hier!"

Een tweede boswachter, die wat dikker was en er minder netjes uitzag, kwam uit een andere kamer tevoorschijn, met een kop koffie in zijn hand. „Wat is er?"

„Raad eens wie we hier hebben."

„Lieve hemel." De boswachter die Willis heette, liet bijna zijn koffie uit zijn handen vallen. „Die jongen van Martin?" Hij gaf de koffie aan Jasper. „Hier. Jij zult er meer behoefte aan hebben dan ik."

„Nee, dank u," zei Jasper.

„O, maar een chocoladereep wil je toch wel hebben, hè?" Hij pakte een reep uit een kast en duwde die in Jaspers hand.

113

„Hier. Je zult wel uitgehongerd zijn."

„Nee hoor." Jasper maakte de verpakking van de reep aan een kant open en nam een klein hapje, om niet onbeleefd te lijken, maar het kostte hem moeite om te slikken.

De boswachter die Willis heette, staarde hem aan alsof hij nog nooit een jongen een chocoladereep had zien eten. „Wat zeg je daarvan? We dachten dat je vast al… Nou ja, we hadden je bijna opgegeven."

„We dachten al dat jullie zouden weten wie hij was," zei de kleinste jager.

„Nou en of," zei de eerste boswachter lachend. „We hebben drie weken met man en macht naar deze jongeman gezocht. Jullie hebben er misschien in jullie deel van het land niets van gemerkt, maar zijn foto heeft hier in alle kranten gestaan en is een paar maal op de televisie geweest. We hebben met vliegtuigen naar hem gezocht, en met speurhonden, en we hebben hier zelfs een helderziende gehad om op de kaart aan te wijzen waar hij was." De boswachter schudde Jasper met gespeelde verontwaardiging aan een schouder door elkaar. Maar Jasper voelde dat een deel van de verontwaardiging echt was. Hij had de boswachters veel extra werk bezorgd. Toch voelde hij zich stiekem een beetje trots, zoals hij zich vroeger voelde als hij met Kevin verstoppertje speelde en zich zo goed verstopt had dat Kevin het opgaf. Soms kwam hij dan nog niet tevoorschijn, omdat hij zijn verstopplaats niet wilde verraden, voor het geval hij hem later nog eens nodig had.

„Waar heb je je in vredesnaam al die tijd verstopt?" vroeg de boswachter.

Jasper haalde zijn schouders op. „Ik heb me niet verstopt."

Toen de jagers weg waren, belden de boswachters naar de plaatselijke politie om door te geven dat Jasper gevonden was, en daarna belden ze zijn ouders. Nadat ze het nieuws hadden verteld, gaven ze de hoorn aan Jasper, maar hij wist niet wat hij moest zeggen.

„Jasper?" vroeg zijn moeder met een vreemde, half verstikte stem.

„Jasper, ben jij dat?"

„Ja, mama. Ik ben het."

„Godzijdank! O Jasper! We zijn zo ongerust geweest! Je bent al zo lang vermist! We dachten… we waren bang… is alles in orde met je?"

„Ja hoor, ik voel me prima."

„Echt? Ben je niet gewond, of ziek? Je klinkt… hoe zal ik het zeggen… anders."

Dat klopt, dacht hij, maar hij zei het niet. „Ik voel me prima," zei hij nog eens.

„Godzijdank. Luister, ik wil dat je daar op ons wacht. We komen zo snel mogelijk naar je toe. Ik zal papa bellen en dan rijden we meteen weg. Maar ik wil dat je daar op ons wacht. Beloof je dat?"

„Jullie hoeven me niet te komen halen. Ik kan met de bus naar huis komen, of…"

„Ach, schatje, dat is toch onzin. Je hebt een vreselijke tijd gehad. Rust nu maar fijn uit. We komen zo snel mogelijk naar je toe. Hebben ze daar iets te eten voor je?"

„Ja hoor. Ik ben al een chocoladereep aan het eten."

„Goed zo. Geef me nu die man nog even. Dan kan ik hem vragen hoe we moeten rijden. Weet je zeker dat je niet gewond bent?"

„Ja. Ik voel me prima."

„Godzijdank. We zijn zo ongerust geweest. Als het Kevin was geweest, zouden we… Nou ja, laat maar. Je bent terug. Dat is het belangrijkste. We zijn zo bij je. Geef me nu die man maar."

Zijn moeder had blijkbaar niet veel vertrouwen in zijn vermogen om te beoordelen hoe het met hemzelf ging, want nadat de keurige boswachter de hoorn van hem had overgenomen, hoorde hij hem zeggen: „Niet slecht, na al die tijd. Wel enigszins…" Hij keek even naar Jasper. „…verwilderd, maar hij maakt een gezonde indruk."

Verwilderd. Jasper zag een deur waarop 'wc' stond, en ging naar binnen. Hij leunde op de wastafel en keek in de spiegel. Het gezicht dat hem vanuit de spiegel aankeek, kwam hem maar vaag bekend voor. Waar was de bleke, enigszins pafferige en puistige jongen met een bril, die jarenlang afkeurende gezichten naar hem had getrokken? Deze nieuwe kerel was wel niet echt knap, maar hij zag er gebruind uit, met een stoere kin, en zijn verwarde haar was wel wat onverzorgd, maar het stond toch niet slecht. Omdat hij iemand hoorde aankomen, draaide hij snel de kraan open en begon zijn handen te wassen met een stuk zeep. De keurige boswachter stak zijn hoofd om de hoek van de deur en zei:

„Achter de keuken is een douche."

„Dank u, maar die heb ik niet nodig."

„Ik dacht dat je je misschien wat wilde opknappen. Je ouders zijn hier over een uur of vier, vijf."

Jasper keek uit gewoonte op zijn horloge. Het stond nog steeds op kwart over vijf. Hij maakte het bandje los en gooide het horloge in een afvalbak. „Het is tien voor halfzes," zei de boswachter. Door puur toeval had het horloge bijna de juiste tijd aangegeven. Het leek wel of hij niet weg was geweest, alsof de tijd tijdens zijn afwezigheid had stilgestaan en pas nu weer verderging. „Over een halfuurtje gaan we eten. Je zult wel honger hebben."

Jasper haalde zijn schouders op. „Ik heb tussen de middag veel gegeten."

Toch at hij een beetje mee, maar hij zorgde ervoor dat hij zijn gekrompen maag niet te vol propte. Hij weigerde de rosbief en nam alleen aardappelpuree en erwten. Vooral aardappelen had hij de afgelopen weken erg gemist. Hij vroeg zich af waardoor je die in de wildernis kon vervangen. Misschien hadden de boswachters een

116

boek over voedsel in de wildernis, waarin hij dat straks kon opzoeken.

Tijdens het eten vertelden de twee boswachters hem over de zoekactie, maar hij luisterde maar half. Het bleek dat de accu van de jeep inderdaad was leeggelopen, zoals hij al had gedacht. Zijn vader had pas vier dagen na Jaspers verdwijning de boswachters gewaarschuwd. Hij had twee dagen zelf gezocht en had daarna nog twee dagen nodig gehad om lopend het dichtstbijzijnde kantoor van de boswachters te bereiken. Daarna was hij blijkbaar nog een paar dagen gebleven, maar toen ze geen spoor van Jasper konden vinden, hadden de boswachters hem naar huis gestuurd, met de belofte dat ze alles zouden doen wat mogelijk was, en hem op de hoogte zouden houden.

Zoals de keurige boswachter al tegen de jagers had gezegd, was er vooral tijdens de eerste week een grote zoekactie geweest. Maar toen zelfs de speurhonden Jaspers spoor niet konden volgen – Jasper dacht dat het waarschijnlijk kwam doordat de geur van de beer sterker was dan die van hem – hadden ze zich geconcentreerd op het zoeken vanuit de lucht.

Nadat ze hadden verteld wat ze allemaal hadden gedaan om hem te zoeken, gaven de boswachters Jasper een les over hoe je kon voorkomen dat je zou verdwalen, en wat je moest doen als dat toch gebeurde. Het kwam erop neer dat je moest blijven waar je was. Jasper luisterde braaf en zonder commentaar. Zelfs als hij vreselijk veel belangstelling had gehad voor wat ze zeiden, zou hij zijn afgeleid doordat de telefoon telkens ging. De boswachters namen om de beurt op. Het waren allemaal mensen van de radio of de televisie, of verslaggevers van kranten, die meer wilden weten over Jaspers 'beproevingen' en zijn 'redding'. Verscheidene verslaggevers vroegen of ze met Jasper zelf konden praten, maar hij weigerde en liet de boswachter uitleggen dat hij nog niet voldoende was her-

117

steld om al over zijn belevenissen te vertellen.

Toen hij klaar was met eten, vroeg hij aan Willis of ze misschien boeken hadden die hij mocht lezen. „Tja," zei de boswachter aarzelend, „ik geloof niet dat er veel bij is dat jou zal interesseren. Maar als je wilt, mag je wel even kijken."

Zoals Jasper had gehoopt, was er een boek over eetbare wilde planten. Daarin ging hij aandachtig zitten lezen, terwijl hij zijn best deed om zich niet te laten afleiden door het voortdurende rinkelen van de telefoon en de telkens herhaalde antwoorden van de boswachters. Een paar uur later stopte er in de lichtcirkel voor de blokhut een auto met het opschrift 'Bouwbedrijf Martin'. Zijn ouders stapten uit en liepen het trapje op naar de voordeur. Jasper vond dat ze er slechter uitzagen dan hij. Ze waren moe van hun haastige tocht. Hij begreep voor het eerst dat de afgelopen weken voor hen ook niet gemakkelijk waren geweest.

Zodra zijn moeder binnen was, keek ze gespannen om zich heen. Toen ze Jasper bij het raam zag zitten, begon ze te huilen. Ze holde naar hem toe en omarmde hem nog voordat hij helemaal uit zijn stoel was opgestaan. Jasper werd verlegen en probeerde zich uit de armen van zijn moeder los te maken, terwijl hij mompelde:

„Ik ben helemaal in orde, hoor."

„Ja, maar kijk eens hoe je eruitziet, arm kind. Je bent zo mager. En moet je je haar eens zien. En je bril… waar is je bril?"

„Die is kapot. Maar ik kan me best redden zonder bril."

Zijn vader was even met de keurige boswachter blijven praten. Nu kwam hij, bijna met tegenzin, naar Jasper toe. Het leek wel of hij moeite had met de situatie en niet goed wist wat hij moest zeggen. „Fijn dat je het er heelhuids vanaf hebt gebracht," zei hij ten slotte. „We begonnen ons zorgen te maken." Hij gaf Jasper een klopje op zijn schouder. „Ik zei al tegen je moeder dat je het wel zou overleven. Er is hier genoeg water en een mens kan makkelijk een maand zonder voedsel, vooral als hij wat extra vet heeft." Nu kreeg Jaspers buik een tikje. „Zo te zien heb je een deel van dat extra vet opgebruikt."

„Ja," zei Jasper. Zonder erbij na te denken vroeg hij daarna: „Waarom ben je naar huis gegaan?"

Zijn vader knipperde met zijn ogen, deed zijn mond open om te antwoorden en aarzelde toen alsof hij een beter antwoord probeerde te bedenken. „Tja…" zei hij. „Ik kon hier niets meer doen. Het zoeken van mensen hoort bij het werk van de boswachters. En ik moest verder met mijn eigen werk."

„Papa heeft twee hele dagen naar je gezocht, schatje," voegde zijn moeder eraan toe. „Hij heeft zijn best gedaan."

„Ik zou je ook gevonden hebben, als je op dezelfde plaats was gebleven. En ik had veel sneller hulp kunnen halen als de accu van de jeep niet was leeggelopen."

„Dick," zei Jaspers moeder met een gespannen glimlach. „Laten we nu maar blij zijn dat hij gezond en wel terug is." Ze sloeg een arm om Jaspers schouders. „Zullen we snel naar huis gaan? Je verlangt zeker naar een flinke maaltijd en je eigen bed, hè?"

Jasper knikte gehoorzaam. „Ja, mama." Hij had het boek over eetbare planten nog steeds in zijn handen, halfgeopend bij een verhaal over aardperen. Hij keek ernaar en gaf het boek toen met tegenzin aan Willis terug. „Weet u misschien waar ik zo'n boek kan kopen?"

De boswachter lachte en haalde zijn schouders op. „Houd dit maar, als je het zo graag wilt hebben, jongen."

„Wat?" Zijn moeder pakte het boek en las de titel. „Waarom wil je dat nou hebben?" vroeg ze met een zenuwachtig lachje.

De keurige boswachter begon ook te lachen. Waarom lachte iedereen? „Voor als hij weer verdwaalt, denk ik. Hij wil op alles voorbereid zijn."

„Zo hoort het ook," zei zijn vader, zoals Jasper wel had verwacht.

119

Hoofdstuk 17

Tijdens de rit naar huis was het in de auto zo stil dat het leek alsof Jasper een vreemde was, een lifter bijvoorbeeld. Blijkbaar wilde niemand praten over de tijd dat hij verdwaald was. Dat was maar goed ook, want volgens zijn vader had hij vast alles verkeerd gedaan.

Eenmaal, kort na het vertrek, zag hij dat zijn vader een paar keer in zijn achteruitkijkspiegel keek, alsof hij zich ervan wilde overtuigen dat Jasper er nog was. Maar het enige wat zijn vader zei, was: „Wat is er met de bijl gebeurd?”

„Dick!” zei zijn moeder verwijtend. „Hoe kun je daar op dit moment aan denken? Dat is toch niet belangrijk.”

„Ik vroeg het me gewoon af.”

„Ik heb hem in het bos laten liggen,” zei Jasper.

„O.”

Toen ze door een stad kwamen, liet zijn moeder zijn vader stoppen bij een hamburgerrestaurant. Ondanks Jaspers protesten dat hij geen honger had, kocht ze een reusachtige hamburger en een zak frites voor hem. Terwijl zijn moeder oplettend toekeek, werkte hij het met veel moeite allemaal naar binnen. Maar een halfuur later had hij pijn in zijn buik. Hij leunde achterover.

Het leek of er geen eind kwam aan de rit. Toen zijn ingewanden er weer enigszins bovenop waren, ging hij rechtop zitten en keek naar buiten. Hij kon niet veel zien in het donker, alleen af en toe de lichten van een huis. Na een tijdje vroeg hij terloops: „Heeft er nog iemand naar me gevraagd? Van school of zo?”

„Of er iemand naar je gevraagd heeft?" Zijn moeder lachte. Jasper dacht even dat ze lachte omdat hij zo dom was geweest om te denken dat het iemand op school iets kon schelen wat er met hem gebeurde. Maar toen zei ze: „Natuurlijk! Aan een stuk door! Het hoofd van de school heeft een paar keer gebeld, en al je leraren, en je vrienden…"

„Welke vrienden?" vroeg Jasper, maar ze scheen het niet te horen.

„En de verslaggevers!" zei ze, terwijl ze naar haar voorhoofd greep. „Die hebben ons geen moment met rust gelaten." Ze draaide zich om en keek naar hem, alsof ze zich ervan wilde overtuigen dat hij het echt was. „Je bent bijna beroemd."

Jasper leunde weer achterover. Hij wist niet goed wat hij ervan moest denken. Beroemd? Omdat hij verdwaald was? „Hoe gaat het met Kevin?" vroeg hij.

„O, hij is net zo ongerust geweest als wij. Hij wilde zelfs vrij nemen van school om te helpen zoeken."

„Heeft hij dat gedaan?"

„Nee. Wij vonden dat hij het beter niet kon doen. Stel je voor dat hij ook verdwaald was."

Jasper snoof. „Kevin verdwaalt heus niet."

„Dat weet ik nog zo net niet. Zelfs je vader gaf toe dat hij even verdwaald is geweest, terwijl hij naar je zocht. Hè, Dick?"

Zijn vader lachte, maar niet van harte. „Nou ja, niet echt verdwaald. Ik ben alleen… Hoe zal ik het zeggen? Ik ben een paar uur in de ban van de wildernis geweest."

Jasper keek naar buiten, naar de donkere heuvels die nauwelijks te onderscheiden waren van de nachtelijke hemel. In de ban van de wildernis. Ja, daar was hij het mee eens. Als je het zo zei, klonk het niet zo negatief. Als de mensen vroegen of hij verdwaald was, kon hij zeggen dat hij alleen een tijdje in de ban van de wildernis was geweest.

121

Maar het vreemde was dat niemand vroeg hoe of waarom hij was verdwaald. De talloze verslaggevers van de televisie en de kranten, die de volgende dagen naar hun huis kwamen, wilden alleen weten hoe hij zich in leven had gehouden. Dat vertelde hij hun zo eenvoudig mogelijk. Maar ze leken allemaal verbaasd over zijn vindingrijkheid en moed.

Jasper wilde hun vertellen dat het niets bijzonders was geweest. Hij had zijn best gedaan, en zoals bij iedereen die zoiets meemaakt, waren sommige dingen goed gegaan en andere verkeerd. Voor hem was het genoeg dat hij had gedaan wat iedereen zou hebben gedaan. Maar hij wist dat ze dat niet wilden horen. Er was nog veel meer dat hij hun niet vertelde, omdat hij wist dat ze het niet zouden begrijpen. Soms begreep hij het zelf niet eens, en hij vertelde het ook niet aan zijn ouders.

Zijn ouders vroegen hem trouwens weinig of niets. Toen ze eindelijk over de afgelopen weken praatten, vertelden ze alleen wat er thuis was gebeurd. Zijn moeder had al die tijd geen stap buiten de deur gezet omdat ze thuis wilde zijn als er werd opgebeld dat hij gevonden was. Ze hadden zich de vreselijkste voorstellingen gemaakt van wat hem allemaal kon overkomen. En mensen die ze jaren niet hadden gezien, hadden opgebeld om te vragen of ze konden helpen.

Maar om de een of andere reden vroegen zijn ouders hem nooit wat hij precies had meegemaakt in de wildernis. Misschien dachten ze dat het een erg pijnlijke ervaring was geweest en dat hij er net als een oorlogsveteraan liever niet over wilde praten.

Dat laatste was juist. Hij had weinig zin om erover te praten. Maar hij bleef elke dag urenlang alleen op zijn kamer en schreef alles op wat hij zich kon herinneren van zijn belevenissen 'in de ban van de wildernis'.

Toen hij een week thuis was, verflauwde de belangstelling van de verslaggevers en werd het leven weer normaal, of in ieder geval zo normaal dat hij naar school kon gaan zonder in een woud van camera's en microfoons te belanden.

Maar op school begon alles weer opnieuw. Hij was nog niet binnen toen twee van zijn klasgenoten, die anders alleen vervelende opmerkingen tegen hem maakten over zijn uiterlijk, naar hem toe kwamen. De een gaf hem een harde klap op zijn rug. „Hé, woudloper! Kom je weer eens naar school?" „Of ben je verdwaald?" vroeg de ander. Ze lachten hard, maar niet onaangenaam. Jasper probeerde te glimlachen, want hij vermoedde dat dit hun manier was om vriendelijk te zijn.

Het hoofd van de school herkende hem niet meteen, maar heette hem daarna hartelijk welkom en prees hem om zijn 'uitzonderlijke moed'. Hij noemde hem zelfs een voorbeeld voor iedereen. Jasper begon naar de klas te verlangen.

Maar ook daar was hij niet veilig. Alle leraren wilden dat hij zijn verhaal vertelde. Hij had zo langzamerhand het gevoel dat hij een tekst moest opzeggen die hij uit zijn hoofd had geleerd. Het leek wel of hij het niet zelf had meegemaakt.

In de middagpauze ging hij aan de tafel aan het eind van de eetzaal zitten, in de hoop dat hij even met rust gelaten werd, zodat hij kon nadenken over wat er allemaal gebeurde. Hij kon niet meteen verwerken dat hij plotseling zoveel aandacht kreeg. Totdat hij aan het begin van de zomer eindelijk de moed had verzameld om zwemles te nemen, had hij meer vrije dagen dan hem lief was zomaar wat op zijn handdoek op het strand gezeten, terwijl hij wel verbrandde maar nooit bruin werd. Hij keek naar de luidruchtige magere jongens en de mollige meisjes die elkaar nat spatten en onderduwden. En hij had zich afgevraagd hoe het was om zo moeiteloos met de anderen mee te doen.

Hij was nooit op het idee gekomen dat je een prijs moest betalen om erbij te horen. Je moest aan iedereen die erom vroeg, iets van jezelf geven. Het ging blijkbaar niet zo moeiteloos als het leek. Zijn gedachten werden onderbroken door Annette Coster, die vroeger nooit kon onthouden hoe hij heette, en die nu naast hem kwam zitten aan de tafel. „Zo," zei ze, „hoe vind je het om weer echt voedsel te eten?"

Tijdens de geschiedenisles na de middagpauze nam de lerares geen genoegen met de korte samenvatting van zijn avonturen die hij de andere leraren had gegeven. Ze stond erop dat hij voor de klas kwam en alles vertelde over wat hij in de wildernis had meegemaakt. Volgens haar was dit een unieke kans voor de klas om te horen hoe het is om in het Stenen Tijdperk te leven.

Jasper zuchtte, liep naar voren en draaide zich naar de klas. Sommige kinderen keken hem nieuwsgierig aan, maar aan de gezichten van andere kinderen, met wie hij 's ochtends al samen les had gehad, kon hij zien dat het hun begon te vervelen. Hij verplaatste zijn gewicht van de ene voet op de andere. „Nou ja…" begon hij langzaam en met tegenzin. „Zoveel valt er niet te vertellen."

Terwijl hij probeerde te bedenken wat hij kon zeggen, dwaalde zijn blik over de hoofden van de kinderen naar de muur aan het eind van de klas, waar met punaises een grote, veelkleurige kaart van de staat New York was opgehangen. Jasper keek naar de kaart alsof hij hem voor het eerst zag.

Onderaan was een speld met een oranje bolletje in de kaart gestoken om aan te geven waar ze zelf op dit moment waren. Jaspers ogen gingen van dit bolletje naar het noorden, naar de vage, blauwe lijn rond het natuurgebied in het Adirondackgebergte. Hij zocht het noordwesten van het natuurgebied en probeerde iets te ontdekken waaraan hij kon zien waar hij geweest was. Het lukte hem niet op deze afstand. Maar hij bleef in een soort trance staan, zonder te reageren op de aanmoedigingen van de lerares, en keek naar de kaart, zoals hij ook zo vaak gekeken had naar het denkbeeldige land op het plafond van zijn kamer. Hij wilde dat hij weer bij het meer was.

Opmerking van de schrijver

'Verdwaald' is een leesboek en geen handleiding voor woudlopers. Jasper heeft sommige dingen goed gedaan. Maar doordat het allemaal nieuw voor hem was, deed hij ook veel verkeerd. Alles wat hij in de wildernis heeft gegeten, is op zich eetbaar. Maar sommige dingen moeten eigenlijk gekookt worden, omdat je er anders ziek van kunt worden. Mosselen kun je beter niet rauw eten, want soms bevatten ze parasieten. Ook in streken waar weinig mensen wonen, is het water uit beekjes en bronnen meestal niet drinkbaar. Als je meer wilt weten over eetbare wilde planten en over manieren om in de wildernis te overleven, zoek dan in de bibliotheek of de boekhandel een goede handleiding hierover.